Esta é uma publicação Principis, selo exclusivo da Ciranda Cultural
© 2020 Ciranda Cultural Editora e Distribuidora Ltda.

Traduzido do original em inglês
Pictures from Pilgrim's progress: a commentary on portions of John Bunyan's immortal allegory

Texto
Charles H. Spurgeon

Tradução
Talita Ramos Nunes

Preparação
Rosa M. Ferreira

Revisão
Edson Nakashima

Produção editorial e projeto gráfico
Ciranda Cultural

Imagens
Vectorcarrot/Shutterstock.com;
Naddya/Shutterstock.com;
art of line/Shutterstock.com;

Salvo quando especificado, todas as citações das Escrituras são da Almeida Corrigida e Fiel (ACF), Sociedade Bíblica Trinitariana.
Citações das Escrituras indicadas como ARA são da João Ferreira de Almeida Revista e Atualizada, da Sociedade Bíblica do Brasil.

Para citações e nomes próprios em português referentes à alegoria em dois volumes de John Bunyan, foram usadas as versões *O peregrino*, trad. Beatriz S. S. Cunha (Jandira, SP: Principis, 2019), para o volume um, e *A peregrina*, trad. Eduardo Pereira e Ferreira (São Paulo: Mundo Cristão, 1999), para o volume dois. Ocasionais ajustes ao texto foram necessários para corresponder ao uso que C. H. Spurgeon faz das citações.

Dados Internacionais de Catalogação na Publicação (CIP) de acordo com ISBD

S772c	Spurgeon, Charles H.
	Caminhando com o peregrino: Retratos de porções da imortal alegoria de John Bunyan / Charles H. Spurgeon ; traduzido por Talita Ramos Nunes. - Jandira, SP : Principis, 2020.
	192 p. : il. ; 15,5cm x 22,6cm. - (Clássicos da literatura cristã)
	Tradução de: Pictures from Pilgrim's progress: a commentary on portions of John Bunyan's immortal allegory
	Inclui índice.
	ISBN: 978-65-5552-167-2
	1. Literatura cristã. I Nunes, Talita Ramos. II. Título. III. Série.
	CDD 242
2020-2379	CDU 242

Elaborado por Vagner Rodolfo da Silva - CRB-8/9410

Índice para catálogo sistemático:
1. Literatura cristã 242
2. Literatura cristã 242

1ª edição em 2020
www.cirandacultural.com.br
Todos os direitos reservados.
Nenhuma parte desta publicação pode ser reproduzida, arquivada em sistema de busca ou transmitida por qualquer meio, seja ele eletrônico, fotocópia, gravação ou outros, sem prévia autorização do detentor dos direitos, e não pode circular encadernada ou encapada de maneira distinta daquela em que foi publicada, ou sem que as mesmas condições sejam impostas aos compradores subsequentes.

SUMÁRIO

Introdução do editor 7

Capítulo 1 – Flexível parte com Cristão 12

Capítulo 2 – Os dois peregrinos no pântano 20

Capítulo 3 – O homem cujo nome era Auxílio 29

Capítulo 4 – "Auxílios" 42

Capítulo 5 – Cristão e os dardos de Belzebu 54

Capítulo 6 – Cristão diante da cruz 62

Capítulo 7 – Formalista e Hipocrisia 73

Capítulo 8 – Formalista e Hipocrisia (conclusão) 82

Capítulo 9 – Cristão chega ao Palácio Belo 90

Capítulo 10 – "Entre, bendito do Senhor" 97

Capítulo 11 – Cristão e Apoliom 103

Capítulo 12 – Com o que Fiel deparou-se no caminho 114

Capítulo 13 – Com o que Fiel deparou-se
no caminho (conclusão) 121

Capítulo 14 – Feira da Vaidade 128

Capítulo 15 – Cuidado com o Adulador 137

Capítulo 16 – O Terreno Encantado 145

Capítulo 17 – Como o sr. Temeroso se saiu 154

Capítulo 18 – Como o sr. Temeroso se saiu (conclusão) 161

Capítulo 19 – Sr. Hesitante e sr. Prestes-a-Tropeçar 170

Capítulo 20 – Cristiana diante dos portões e do rio 180

INTRODUÇÃO DO EDITOR

Quando me informaram que uma série de mensagens sobre *O peregrino* fora descoberta, alegrei-me como quem acha grande despojo, pois tinha a esperança de que, após enriquecer as páginas de *The Sword and the Trowel*[1] essas fragrantes flores pudessem ser reunidas em um gracioso ramalhete. Na misericórdia de Deus, minhas esperanças foram cumpridas. Mês a mês, os Retratos apareceram, por quase um ano e meio, na revista, e temos à mão abundante testemunho de que se mostraram bem recebidos por seus leitores. E agora completou-se o tempo para a publicação do livro, e aqui está ele: um diadema reluzente, agora que as pedras preciosas foram incrustadas juntas.

Três Retratos adicionais serão aqui encontrados, a saber: "Cristão diante da cruz", "Cristão e Apoliom" e "Feira da Vaidade". Não surpreende pouco que nenhum vestígio de qualquer referência pôde ser encontrado, no decurso dos sermões, dessas partes marcantes da história. Isso não significa, entretanto, que o grande pregador tenha passado

---

[1] Revista iniciada por C. H. Spurgeon em 1865, sendo publicada até os dias de hoje. Seu título, cuja tradução seria *A espada e a espátula,* é uma referência ao relato de Neemias 4 sobre os construtores do muro de Jerusalém, que, em uma mão, traziam a ferramenta para a obra e, na outra, a espada para se defenderem. (N.T.)

por elas sem notá-las. Possivelmente não foram documentadas, ou os manuscritos podem ter se perdido. Uma pequena pesquisa nos Sermões de C. H. Spurgeon e em outros trabalhos garantiu material suficiente e, atrevo-me a pensar, material apropriado para os Retratos faltantes. Tão apaixonado por John Bunyan e tão parecido com ele em fé, pensamento e linguagem era o pastor do Tabernáculo Metropolitano, que estou convencido de que outro volume poderia ser compilado abrangendo Retratos de outras cenas e personagens marcantes da gloriosa alegoria. Quem duvida do abundante material que poderia ser encontrado na Biblioteca Spurgeon[2] para o Retrato de "Cristão sob o Monte Sinai", "Montanha Dificuldade", "Castelo da Dúvida", "Pouca-Fé", "Terra de Beulá" e "Valente-pela-Verdade", por exemplo?

Há evidências internas de que essas prédicas foram proferidas nas reuniões de oração de segunda-feira à noite, com o objetivo especial de edificar aqueles que haviam acabado de começar a peregrinação. "Vocês, jovens convertidos", disse várias e várias vezes o pregador, em seu estilo pessoal e incisivo. Não obstante, os mais vividos em sua congregação, tenho certeza, também eram ouvintes ávidos e encantados. O mesmo acontecerá com este livro. Eis aqui leite para os bebês e carne para os homens. Além disso, a carne é tal que os "bebês" desfrutarão de uma prova desse sabor, e os "homens" ficarão ainda melhores com um ou dois goles do leite.

C. H. Spurgeon foi um mestre do passado na arte de comentar. Quem jamais o ouviu que não tenha se alegrado tanto em sua exposição das Escrituras quanto em suas orações e seus sermões? Ele comentou em impresso sobre Salmos (*O Tesouro de Davi*[3]), Mateus (*O Evangelho*

---

[2] Sendo um leitor voraz, C. H. Spurgeon reuniu uma biblioteca pessoal de 12 mil volumes. Desde 2006, parte dela pertence a *Midwestern Baptist Theological Seminary*, que a mantém até hoje. Muitos sermões não publicados de Spurgeon foram encontrados nessa coleção. (N.T.)
[3] Publicado em português pela *Publicação Pão Diário*, 2018. (N.T.)

segundo Mateus: A narrativa do Rei[4]) e sobre Manton[5] (*Illustrations and Meditations: Or Flowers from a Puritan's Garden* [Ilustrações e meditações: ou Flores de um jardim puritano]); e aqui temos o seu comentário sobre *O peregrino*, "o mais doce de todos os poemas em prosa", como ele próprio o descreve.

É fácil ver que o Comentarista identifica-se com o Autor e ama sua tarefa. Se alguma vez houvessem conseguido forçar o sr. Spurgeon a preencher a página do outrora bem popular *Álbum de Confissão*[6], tenho quase certeza de que sua resposta à pergunta "Quem é seu autor favorito?" seria "John Bunyan". Ele falou do autor vez após vez como "o meu grande favorito", e deixou registrado que havia lido *O peregrino* pelo menos uma centena de vezes. Não é preciso ir longe para encontrar o motivo desse gosto. Ambos amavam "O Livro dos livros". Exortando ao estudo honesto das Escrituras, C. H. Spurgeon disse certa vez:

> Ah, que você e eu possamos entrar no coração da Palavra de Deus e colocar essa Palavra dentro de nós mesmos! Como eu vi o bicho-da-seda comendo e entrando na folha, consumindo-a, assim devemos fazer com a Palavra do Senhor: não rastejar sobre sua superfície, mas comer e entrar nela, até que a tenhamos levado para dentro de nosso mais íntimo. É vão apenas deixar o olho relancear as palavras, ou recordar as expressões poéticas ou os fatos históricos; mas é abençoado comer e entrar na própria alma da Bíblia, até que, finalmente, você venha a falar na linguagem das Escrituras, e seu próprio estilo seja moldado de acordo

---

4 Publicado em português pela Editora Hagnos, 2018. (N.T.)
5 Thomas Manton, clérigo puritano inglês do século XVII. (N.T.)
6 Os álbuns de confissão, populares na Grã-Bretanha do final do século XIX, eram livros com uma série de perguntas a serem respondidas pelo dono do livro e por seus conhecidos. Há variantes mais antigas e mais recentes dessa proposta, como o *album amicorum* [álbum de amigo] ou o livro de autógrafo. No Brasil, nos anos 1990, era comum entre adolescentes algo semelhante, conhecido como caderno de perguntas, enquete, questionário. (N.T.)

com os modelos bíblicos, e, o que é ainda melhor, seu espírito seja temperado com as palavras do Senhor. Eu citaria John Bunyan como um exemplo do que quero dizer. Leia qualquer coisa dele e você verá que é quase como ler a própria Bíblia. Ele a leu até que sua alma estivesse saturada com as Escrituras; e, embora seus escritos sejam encantadoramente cheios de poesia, ele, todavia, não pode dar-nos *O peregrino* – este seu mais doce de todos os poemas em prosa – sem nos fazer continuamente sentir e dizer: "Ora, esse homem é uma Bíblia viva!". Fure-o em qualquer lugar, seu sangue é biblino, a própria essência da Bíblia flui dele. Ele não consegue falar sem citar um texto, pois sua própria alma está cheia da Palavra de Deus. Eu recomendo o exemplo dele a vocês, amados.

Além disso, a linguagem do Ilustríssimo Sonhador estava na mente do Pastor do Tabernáculo. Eles falavam a mesma língua. Em uma prédica proferida em 1862, por ocasião da restauração do sepulcro de Bunyan, Spurgeon assegurou a seus ouvintes que as obras de Bunyan não lhes exigiriam tanto a constituição como as de Gill e Owen[7]. "Elas são uma leitura agradável", disse, "pois Bunyan escrevia e falava o saxão simples e era um leitor diligente da Bíblia na versão antiga".

Era, sem dúvida, a intenção de meu querido pai publicar essas prédicas, pois ele iniciara sua revisão. Gostaria de que ele tivesse sido capaz de realizar a tarefa. Elas ficariam assim muito mais perfeitas. Como está, nós as temos bem como as pronunciou. Não há como confundir a voz dele nessas sentenças sentenciosas.

Julgo que, se houvesse sido poupado para editar essas homilias e escrever uma introdução, ele teria exortado seus leitores, como fez com seus ouvintes na ocasião antes mencionada, a erguerem um monumento

---

[7] John Gill (1697-1771) e John Owen (1616-1683) são dois puritanos piedosos de estilo literário reconhecidamente difícil de ler. (N.T.)

a John Bunyan no próprio coração, a se tornarem seus descendentes, absorvendo a verdade que ele ensinou e mantendo fresca a lembrança dele ao viver na mesma fé.

Que a leitura atenta destas páginas crie um amor pelo livro que elas explicam e aplicam, bem como pelo Livro do qual ambos os escritores estavam "saturados".

Thomas Spurgeon
Clapham, 1903

CAPÍTULO 1

FLEXÍVEL PARTE COM CRISTÃO

Ao lado da Bíblia, o livro que mais valorizo é *O peregrino*, de John Bunyan. Creio tê-lo lido pelo menos uma centena de vezes. É um volume do qual nunca me canso, e o segredo de seu frescor é o fato de ser tão amplamente compilado a partir das Escrituras. É, na realidade, um ensino bíblico colocado na forma de uma alegoria simples, porém muito tocante.

Tem estado em minha mente dar uma série de mensagens sobre *O peregrino*, pois os personagens descritos por John Bunyan têm seus representantes vivos nos dias de hoje, e suas palavras têm uma mensagem para muitos que se encontram em nossas congregações no tempo atual.

Você se lembra que, quando Cristão, "com um livro em mãos e um grande fardo nas costas", clamou: "Que farei para ser salvo?", ele viu "um homem chamado Evangelista vindo em sua direção", que lhe apontou a porta estreita e a luz resplandecente. Nesse momento, Bunyan diz:

Então, vi em meu sonho que o homem começou a correr.

Não estava muito longe de casa, mas a esposa e os filhos, ao perceberem que corria, começaram a suplicar que retornasse. O homem, porém, tapou os ouvidos e continuou a correr, clamando: "Vida! Vida! Vida eterna!" (Lc 14.26). Não olhou para trás; antes, fugiu em direção à campina (Gn 19.17).

Os vizinhos também saíram à rua para vê-lo correr (Jr 20.10) e, enquanto corria, alguns escarneciam dele, outros o ameaçavam, outros pediam que voltasse. Dentre estes que o faziam, havia dois que resolveram impedi-lo à força de partir. Um deles chamava-se Obstinado e o outro, Flexível.

Em vez de ceder a eles, Cristão começou logo a suplicar que o acompanhassem. Obstinado respondeu a todos seus apelos com zombaria e insultos, mas Flexível foi facilmente persuadido a ir. Ele é um tipo daqueles que aparentemente desejam ir para o Céu, mas não estão enraizados em suas decisões, e, portanto, logo voltam atrás. O retrato que Bunyan pintou dele é digno de nossa consideração atenta, pois é verdadeiro em todos os aspectos.

É significativo que, em um primeiro instante, Flexível tenha ido com Obstinado na perversa missão de se empenhar para trazer Cristão de volta à Cidade da Destruição. Da mesma forma, alguns dos que têm o hábito de manter a pior companhia podem, às vezes, mesmo sem a operação da graça de Deus sobre eles, ser induzidos a abandonar seus companheiros maus e lançar-se à sorte, por um período, com os seguidores de Cristo.

Essas pessoas Flexíveis, que são ainda uma família muito numerosa, são muito dependentes daqueles por quem estão cercadas. Se acontece de terem nascido em uma família piedosa, é provável que façam uma profissão de religião. É até possível que esses indivíduos sejam tidos em alta estima, e talvez carreguem por anos um caráter cristão de grande reputação. Se, por outro lado, acontece de serem jogados entre más companhias, serão mui facilmente seduzidos por elas e levados a beber, praguejar e a cair em todos os vícios das pessoas mais fortes por quem são influenciados. Eles mal parecem ser homens. São meras águas-vivas, arrastadas por toda virada de maré. Carecem do verdadeiro elemento da masculinidade, que é a firmeza. Isso, a propósito, Obstinado tinha em excesso. Se fosse possível colocar um Obstinado e um Flexível juntos e torná-los um, poder-se-ia, falando do homem natural, obter algo que se aproxima mais da verdadeira virilidade do que qualquer um deles separadamente. Obstinado tinha toda a firmeza, enquanto Flexível não tinha nenhuma.

Penso que Flexível era um tipo de criatura moldável, e, por isso, Obstinado fazia com ele como bem queria, até que o pobre sujeito entrou no alcance de um homem mais forte que Obstinado, a saber, Cristão. Afinal, não há homem que seja páreo para um Cristão em matéria de influência. Há uma força na verdade, que é confiada a nosso encargo, quando trazida para um jogo justo, que não se iguala a nenhuma forma de mentira. Se a mente de um homem é realmente flexível, não há dúvida de que um Cristão sincero, que foi conduzido pela graça Divina a andar no caminho reto, terá um controle maravilhoso sobre tal pessoa. Tão forte foi a influência de Cristão que, mesmo enquanto Obstinado estava insultando, Flexível repreendeu-o e disse: "Meu coração está inclinado a acompanhar meu vizinho". Cristão não havia falado muito, ele não parecia exercer muita influência, mas algo já havia impactado Flexível. Na própria presença e aparência de um Cristão há um poder sobre o coração do homem. Além disso, a influência cresce; assim, aconteceu que Flexível foi, em seguida, ainda mais longe, corajosamente declarando: "Seguirei caminho com este bom homem e seu destino será também o meu".

Percebe-se, entretanto, que Flexível não tinha nenhum fardo nas costas, como Cristão tinha. Essa era uma das provas de que ele não era um verdadeiro peregrino. O que traz os homens a Cristo é um senso da necessidade que têm de Deus. Embora não seja uma qualificação para a salvação, o sentimento de pecado é, contudo, sempre o único motivo que leva os homens a confiarem em Jesus; é o ímpeto que a graça divina usa quando está atraindo ou dirigindo os homens ao Salvador. Flexível não pareceu, a princípio, ficar grandemente preocupado quando soube que a Cidade da Destruição estava condenada. Mas, quando Cristão falou de modo tão belo sobre o Céu, ele pensou que podia haver algo nisso; na verdade, ele sentiu que devia haver, vendo que um homem como Cristão pôde deixar a família e os negócios para seguir em uma longa peregrinação. Por isso ele julgou que, provavelmente, faria um melhor bem a si mesmo se fosse com Cristão. Mas, em todo o tempo, não havia nenhum fardo às costas; ele não tinha senso da própria necessidade de um Salvador, e esse era um defeito muito grave, para começo de conversa, em alguém que professava ir em peregrinação à Cidade Celestial.

Você observará, também, que a única coisa que tentou Flexível a ir foi a fala de Cristão sobre a "herança incorruptível, sem mancha, que não perece"(1Pe 1.4). Existem alguns pregadores que conseguem discorrer de modo tão belo sobre o Céu – as benditas amizades daquele alegre lugar, "onde nos juntaremos para jamais nos separarmos" –, que metade de seus ouvintes são obrigados a dizer: "Nós também partiremos para lá". Esses teólogos falam dos muros de jaspe, dos portões de pérola, das ruas de ouro, do mar de vidro e do arco-íris esmeralda ao redor do trono de tal forma que pessoas de temperamento poético, e especialmente as de disposição flexível, têm suas emoções excitadas pelas descrições que dão apenas uma visão material do que se pretendia fosse entendido no sentido espiritual. Elas, de fato, pensam que o Céu seja, literalmente, o que o livro do Apocalipse diz que ele é figuradamente. Nunca chegam ao âmago do sentido interior; é a casca do significado exterior o que as atrai. Elas ficam satisfeitas, encantadas, enfeitiçadas, fascinadas por isso, e, assim, resolvem partir na jornada.

Para dizer toda a verdade sobre o sr. Flexível, devo dizer que ele começou muito bem. Já recordei-lhes que ele defendeu Cristão quando Obstinado o injuriava; e, quando Obstinado voltou seus insultos contra Flexível, e disse: "Que dizes? És tu outro tolo?", ele não pareceu estremecer com isso. Algumas dessas pessoas flexíveis suportarão até mesmo uma grande carga de perseguição e estarão contentes sendo ridicularizadas e enfrentando zombarias; elas até mesmo sofrerão perdas para não voltar atrás. Se o fizerem realmente "por amor a Cristo", está tudo bem; mas, muitas vezes, isso é suportado apenas com vistas ao autoengrandecimento e a fim de obter algo melhor por meio de recompensa, de modo que ainda é egoísmo o que as governa. Esses indivíduos desistem de um pouquinho do que há de bom no mundo – e não é muito, no final das contas, que sacrificam – em prol do melhor mundo que ainda há de ser revelado. Eles não desistirão de tudo que têm – "casas, ou irmãos, ou irmãs, ou pai, ou mãe, ou mulher, ou filhos, ou terras"[8] – por amor a Cristo e ao Evangelho, e, portanto, não são verdadeiros discípulos de Cristo. Estão preparados para fazer algum pequeno sacrifício, mas unicamente para ganhar o céu ou escapar do inferno.

Observe como Cristão tratou Flexível após Obstinado deixá-los. Ouso dizer que o conhecera antes e entendia muito bem o sujeito maleável e despreocupado que ele era, e como muito facilmente podia ser torcido, quer de uma forma quer de outra. Ainda assim, Cristão não desdenhou a companhia dele, mas lhe disse: "Ora, vem, vizinho Flexível. Traz-me grande alegria ter-te convencido a acompanhar-me". Você e eu, queridos amigos, temos obrigação de convidar os homens a virem a Cristo, não importa quem ou o que sejam; e devemos tentar encorajá-los o quanto pudermos, muito embora possamos ter em nosso próprio coração um temor bem fundamentado de que alguns deles não resistirão até o fim. Não creio que devamos dizer aos jovens que parecem ser

---

8   Mt 19.29. (N.T.)

sinceros quanto a assuntos espirituais que receamos que não perseverem e, assim, os desencorajemos. Nosso negócio é, antes, dizer a cada um deles: "Vem, vizinho; vem comigo e sucederá a ti o mesmo que a mim". É obra do Espírito encher a rede do Evangelho; é nosso dever jogá-la e arrastá-la pelo fundo; e, se pegamos peixes bons ou ruins, não é tanto preocupação nossa quanto o é de nosso Mestre. Cristão, embora ainda não estivesse ele mesmo em paz, possuía um amor louvável pelos outros. Essa é uma bela característica, que eu gostaria de ver naqueles que sentem a obra auxiliar da graça em sua alma: querer que outros sintam como eles se sentem. Essa conduta por parte de Cristão deveria ser uma lição para alguns de vocês, que há muito tiveram gozo e paz no crer[9], mas que não dizem a outros: "Vem, vizinho Flexível". Busquem ter em vocês mesmos algo do zelo e da compaixão desse pobre peregrino de consciência atribulada, mas de coração compassivo.

Assim, Flexível, sem calcular o custo ou avaliar por um momento todas as dificuldades do caminho, embarca, de modo impensado e despreocupado, naquela jornada que sempre se prova longa demais para os que a iniciam somente em sua própria força. À medida que percorriam a planície, Cristão começou a falar com Flexível sobre o que ele mesmo sentira – "o terror e os poderes do invisível"; – mas, tão logo o fez, Flexível mudou de assunto. Não queria saber nada de tais questões; ele havia, de fato, considerado a coisa toda em um sentido carnal. E, quanto aos poderes e terrores e do mundo invisível, ele não sabia nada sobre eles; e, aparentemente, não queria saber nada sobre isso, pois retornou ao que o havia atraído a princípio, e disse a Cristão: "Diga-me mais acerca das coisas de que falaste, como haveremos de gozá-las e para onde nos dirigimos".

Aqueles dois homens, enquanto caminhavam e conversavam, caíram no erro de falar muito sobre coisas que nenhum deles compreendia

---
9   Cf. Rm 15.13, ARA. (N.T.)

apropriadamente. É verdade que Cristão disse: "Por estares tão desejoso de sabê-las, lerei sobre elas em meu Livro para ti". Havia aquele bom elemento em sua conversa, que podemos cordialmente louvar; contudo, mesmo isso pode não ser a coisa mais sábia para jovens iniciantes fazerem. É, na verdade, uma coisa sábia ler a Bíblia e conversar sobre o que ela contém; mas isso deve ser feito com muita oração, se for para ser de verdadeiro benefício espiritual. Procuro em vão por qualquer palavra sobre o ato de orar de Flexível, mas leio a respeito de Cristão, mesmo antes de ele começar sua peregrinação:

Mantinha, também, o hábito de andar solitário pelos campos, fosse nutrindo-se pela leitura ou orando; assim fora sua rotina por alguns dias.
Certa vez, avistei-o enquanto caminhava aflito pelos campos, como de costume, devorando seu livro. Ao lê-lo, fez como fizera antes: rompeu em lágrimas, questionando: "Que farei para ser salvo?" (At 16.30,31)

Não foi assim com Flexível. O que ele ouviu Cristão ler do Livro não o fez lamentar, mas o deixou encantado e deliciado. Ele só pensava no País Celestial, não na praga de seu próprio coração nem na natureza condenável de seu pecado. Essas coisas nunca lhe ficaram poderosamente esclarecidas, como ficara para Cristão, e, portanto, ele não disse: "Vem, ajoelhemo-nos juntos e supliquemos por misericórdia"; mas disse: "Bom, querido companheiro, sinto-me imensamente feliz por saber disso. Vamos, apertemos o passo". Sim, a princípio, não há ninguém tão entusiasmado quanto esses indivíduos ocos e vazios. "Vamos, apertemos o passo", disse Flexível. Certamente, irmãos, o conselho é bom, mas não gosto dele vindo de tais lábios. É uma exortação muito apropriada em seu lugar, mas não quando vem de alguém que nunca esteve sobrecarregado por causa do pecado, nem quebrado sob o martelo da lei de Deus, nem foi levado a sentir a própria nulidade e inutilidade. Vocês que são vazios podem muito bem viajar rapidamente; vocês que nunca sentiram o peso do pecado no coração podem muito bem correr ligeiramente. Flexível é todo pronto a pressionar, fazer rebuliço e criar barulho. Ele assiste aos cultos de avivamento e gosta de prolongá-los; quando está de bom humor, tem disposição de ficar acordado a noite toda, de pôr tudo de cabeça para baixo e fazer todos os tipos de coisas extraordinárias, tudo para mostrar quão cheio de zelo ele é. Mas, em um pouco de tempo, estará acabado. É "qual o crepitar dos espinhos debaixo de uma panela"[10], que queima com tanta força, que faz a panela ferver e apaga o fogo.

"Vamos", disse Flexível, "apertemos o passo". Cristão disse: "Não posso andar tão depressa quanto gostaria, pois é pesado o fardo que carrego nas costas". Então, assim que eles encerraram a conversa, Bunyan conta-nos que se aproximaram "de um pântano enlameado no meio da campina, no qual ambos caíram de súbito, pois estavam distraídos com o assunto. O pântano chamava-se Desalento".

---

10 Ec 7.6. (N.T.)

CAPÍTULO 2

OS DOIS PEREGRINOS NO PÂNTANO

Em meio a seu muito falar, pouco orar e não prestar atenção alguma aonde estavam indo, Cristão e Flexível de repente viram-se patinando no Pântano do Desalento. Bunyan diz:

> Ali permaneceram chafurdando por algum tempo, quase completamente cobertos de lama, até que Cristão, por causa do pesado fardo que carregava, começou a atolar-se ainda mais.

Mesmo naquela altura, se soubessem onde procurar, poderiam ter descoberto que, "por ordem do Legislador, foram colocadas algumas rochas firmes e sólidas no meio do lamaçal a fim de facilitar a passagem". Houvessem eles colocado os pés nessas rochas – em outras palavras, houvessem os peregrinos confiado nas promessas de Deus –, poderiam ter ido até o outro lado com quase nenhuma mancha nas vestes.

Caminhando com o Peregrino

Sempre me sinto inclinado a culpar Evangelista por parte do desconforto que o pobre Cristão sofreu no Pântano do Desalento. Sou um grande admirador de John Bunyan, mas não o creio infalível; e, outro dia, encontrei uma história sobre ele que acho muito boa. Havia um jovem em Edimburgo que desejava ser missionário. Ele era um jovem sábio, então pensou: "Se é para eu ser missionário, não há necessidade de me transportar para longe de casa; posso muito bem ser um missionário em Edimburgo". Eis uma dica para algumas de vocês, senhoras, que distribuem folhetos em seu distrito e nunca dão um à sua serva Mary. Bem, esse jovem decidiu começar e se determinou a falar com a primeira pessoa que encontrasse. Encontrou uma daquelas velhas vendedoras de peixe[11]; aqueles que já as viram não conseguem esquecê-las, são mulheres extraordinárias, de fato. Então, aproximando-se dela, disse:

– Aqui está a senhora, seguindo com seu fardo às costas; deixe-me perguntar-lhe se tem outro fardo, um fardo espiritual.

– Quê? – perguntou ela. – Você quer dizer aquele fardo de *O peregrino*, de John Bunyan? Porque se for, rapaz, eu já me livrei dele há muitos anos, provavelmente antes de você ter nascido. Mas eu lidei com ele de um jeito melhor do que o peregrino. O Evangelista de que John Bunyan fala era um de seus párocos que não pregam o Evangelho; pois ele disse: "Mantenha os olhos naquela luz e corra para a porta estreita". Mas, santo homem, por quê? Aquele não era o lugar para o qual correr. Ele devia ter dito: "Está vendo aquela cruz? Corra para lá de uma vez!". Mas, em vez disso, enviou primeiro o coitado do peregrino à porta estreita; e que bela coisa ele conseguiu indo lá!

– Mas, e você? – perguntou o jovem – Não passou por algum Pântano do Desalento?

---

[11] O termo usado em inglês, *fishwives*, refere-se, em primeiro lugar, a mulheres vendedoras de peixes, geralmente esposas ou filhas de pescadores, que acabaram ganhando, na língua inglesa, a fama de serem barulhentas, mal-humoradas e bocas-sujas. O autor pode, inclusive, ter usado o termo para se referir à característica temperamental da mulher, não à sua profissão. (N.T.)

– Sim, passei; mas achei muito mais fácil passar sem o meu fardo do que tendo ele nas minhas costas.

A velha mulher estava certa. John Bunyan colocou o livrar-se do fardo muito longe do início da peregrinação. Se ele pretendia mostrar o que geralmente acontece, estava certo; mas, se pretendia mostrar o que deveria acontecer, estava errado. Não devemos dizer ao pecador: "Agora, pecador, a fim de seres salvo, vai à piscina batismal; vai à porta estreita; vai à igreja; faze isso ou aquilo". Não, a cruz deve estar bem à frente da porta estreita; e deveríamos dizer ao pecador: "Lança-te ao chão lá embaixo e estarás seguro; mas não estarás seguro enquanto não conseguires livrar-te de teu fardo, e deitar-te aos pés da cruz, e encontrar paz em Jesus".

Agora deixemos Cristão por um pouco e voltemos nosso pensamento para seu companheiro, Flexível. Essa experiência no Pântano do Desalento foi a primeira prova com a qual ele se deparou desde que começou a peregrinação. Foi, comparativamente, algo leve. O Pântano não estava propenso a engoli-los. Não foi nem de perto tão ruim quanto ficar na masmorra do Gigante Desespero, ou lutar com Apoliom no Vale da Humilhação. Não era muito a que opor resistência, mas foi mais do que Flexível pôde suportar. Bunyan, então, descreve o que aconteceu com o homem:

> Flexível começou a indignar-se contra seu companheiro e lhe disse:
> – Essa é a felicidade de que falaste por todo o caminho até aqui? Se já nos encontramos nessa situação após mal terminarmos o primeiro trecho, o que nos esperará até o fim da jornada? Quando livrar-me de tamanho mal, tratarei de retornar à minha antiga vida. Por mim, podes possuir o valoroso reino sozinho.
> Assim, se esforçou uma ou duas vezes e livrou-se da lama. Então, saiu-se pelo lado do pântano que o levaria de volta à sua casa, distanciando-se tanto que os olhos de Cristão já não o alcançavam mais.

Do mesmo modo, muitas vezes acontece que, sem qualquer grande provação externa, mas simplesmente com desalento na mente, um abatimento repentino empalidece o rubor da alegria inicial, e alguns dos que partiram a caminho para o Céu retornam, provando, assim, que não começaram de forma certa e nunca tiveram a obra de Deus, o Espírito Santo, verdadeiramente na alma deles.

Alguns de vocês, queridos amigos, quando participam dos cultos aqui ou se encontram com seus companheiros em uma ou outra de nossas muitas aulas bíblicas, ficam muito animados, empolgados e entusiasmados. E, então, vocês talvez precisem ir morar no interior, que é como sair de uma estufa para um poço de gelo, e logo se esquecem completamente das experiências felizes de que desfrutaram entre nós. Ou pode ser que, em lugar de vocês ouvirem um sermão reconfortante e alentador, em algum domingo de manhã, eu tenha pregado um que seja provocador e esquadrinhador de consciência, e vocês fiquem ofendidos ou apavorados e desistam de todo desejo de trilhar o caminho dos peregrinos.

> A alma temerosa que se cansa e desmaia,
> E nos caminhos de Deus não anda mais,
> É, contudo, estimada quase como um santo,
> E torna assegurada a própria destruição[12].

Cuidado, peço-lhe, com qualquer religião que brote simplesmente do desejo carnal de desfrutar do Céu. Tanto os terrores do inferno quanto as alegrias do Céu são insuficientes para fazerem a alma buscar o Salvador de modo verdadeiro. Deve haver um senso de pecado e um desejo por santidade, porque, afinal de contas, a essência do inferno é o pecado e a essência do Céu é a santidade, e você não fica propenso a ir

---

[12] Versos do poema de Isaac Watts (1674-1748), *The Psalms of David: Imitated in the Language of the New Testament, and Applied to the Christian State and Worship* (Reino Unido, 1719). (N.T.)

a Deus apenas por causa de inferno ou Céu externos. Só será levado a confiar em Jesus Cristo por meio da essência das duas coisas externas, a saber: o pecado pressionando você e sua alma clamando por pureza, santidade e semelhança com Deus.

Deus permita que não tenhamos nenhum Flexível em nossa igreja! Ai! Algumas vezes nós os temos, e eles vão um bom tanto mais longe na estrada do peregrino do que o sr. Bunyan descreve. Eles vão direto para a casa do Intérprete; escalam a Montanha Dificuldade; até passam a cruz; mas, é claro, não sentem o fardo pesar em suas costas. Eles não estão conscientes de que haja um fardo. Quando os cristãos cantam, eles também cantam, porque pensam que devem ter a mesma herança futura. Geralmente atravessam o Vale da Humilhação em plena luz do dia. Apoliom nunca luta com eles, e se perguntam como pode ser que ele não os ataque. Eles pensam quão boas pessoas são e quão más pessoas devem ser aquelas que têm as agitações e aflições de consciência das quais nos ouvem falar. Não conseguem entender por que falamos sobre cristãos tendo conflitos internos tão acirrados; mas, se realmente conhecessem o Senhor, logo entenderiam tudo sobre isso; e, até que o conheçam, boa parte de nossa pregação deve permanecer um mistério para eles. Flexível era um completo estranho à piedade vital. Ele havia convertido a si mesmo; ou melhor, Cristão o havia convertido com sua conversa sobre o Céu; e, talvez, não fosse pelo Pântano do Desalento, ele teria ido, como Ignorância foi, diretamente para o outro lado do Rio, e seria transportado de barco por Vã-Esperança, apenas para ter recusada sua admissão à entrada do portão e ser carregado pelos dois Seres Reluzentes, tomando-o pelos pés e mãos, e ser lançado no inferno pela porta dos fundos, pois há uma porta dos fundos para o inferno e também uma da frente; e alguns que professaram a fé, que, aparentemente, foram muito longe na estrada para o Céu, acabarão, ao final, indo para o inferno por essa porta, a menos que se arrependam de seus pecados e creiam em nosso Senhor Jesus Cristo.

Mas o que sucedeu a Flexível após sua luta para sair do Pântano do Desalento? Bunyan diz:

> Então, vi em meu sonho que, a este tempo, Flexível já havia chegado em casa novamente e recebera a visita de seus vizinhos. Alguns deles chamaram-no sábio por decidir retornar, alguns outros chamaram-no tolo por se expor a tamanho perigo ao acompanhar a Cristão, outros ainda zombaram de sua covardia, dizendo: "Fosse eu, tendo já me arriscado a correr perigo, não desistiria tão facilmente ao enfrentar pequenas dificuldades". Então, Flexível começou a se esquivar deles, envergonhado.

Há uma coisa no mundo que eu sempre admirei. Nós entre vírgulas dizemos: "Tenho de dar o braço a torcer mesmo para esse diabo", e eu tenho de dar o braço a torcer para o mundo. Quero dizer que, quando um homem segue um pouco na religião e depois lhe dá às costas, os meros mundanos geralmente o desprezam. Creio que o mundo perverso tem um respeito genuíno por um cristão verdadeiro. Ele o odeia, e essa é a única honraria que é capaz de lhe pagar. A razão pela qual os homens da época de nosso Salvador O odiavam e zombavam Dele era que tinham o que eu poderia chamar de um respeito terrível por Ele, e não sabiam como expressá-lo de outra forma. Eles odiavam e detestavam o que não conseguiam apreciar de modo correto; e, assim, demonstravam, por zombaria e desprezo, o quão longe estavam de compreender a excelência do Salvador. Pode esperar um tratamento similar por parte do ímpio se você for como o seu Senhor.

Mas, quando um pretenso peregrino dá as costas, eles o desprezam; chamam-no de "vira-casaca", e não poderiam ter encontrado um nome mais correto para ele. "Oh!", dizem, "há pouco tempo, você estava com as pessoas sinceras e, aparentemente, era tão sincero quanto elas; mas, o que você é agora?". Então, quando o homem é visto entrando na cervejaria, você sabe como o cumprimentam. "Ah, sr. Sóbrio-e-Solene!, então você voltou, não é?" Quando o veem a caminho do teatro, dizem-lhe: "Quanto tempo faz desde que você esteve no Tabernáculo?", ou fazem alguma piada grosseira sobre ele. Eles sabem manejar o chicote do desprezo, e agradeço-lhes por usá-lo, e espero que sempre apliquem seus golpes com força.

Mas, anote aí, o pouco desprezo que Flexível acha tão duro de suportar nesta vida é apenas um ligeiríssimo prenúncio do que terá de suportar no inferno. Você se lembra daquela notável descrição dada pelo profeta Isaías do rei de Babilônia? Quando ele desceu ao inferno, e todos os reis que havia destruído e cujas nações havia devastado estavam deitados em camas de fogo; e, quando veem entrar aquele grande que os havia dominado, em vez de tremerem, assobiam: "Tu também adoeceste como nós, e foste semelhante a nós. [...] Como caíste desde o céu, ó Lúcifer, filho da alva! Como foste cortado por terra, tu que debilitavas as nações!"[13].

Se algum de vocês der as costas, como fez Flexível, este será o pior elemento do seu tormento eterno: que você, de certa forma, partiu na estrada para o Céu, que fingiu ser um cristão e que disse ter-se alistado sob a bandeira da cruz, que você falava um bocado sobre sua experiência, que você ia à reunião de oração, e talvez até orasse de forma audível, que entregasse folhetos e, no entanto, você era, no final das contas, apenas um hipócrita e, portanto, encontrou-se, por fim, entre as chamas do inferno. Se eu tiver de perecer, que seja como um pecador que nunca professou ser um santo, e não como um Flexível, que começou indo para a Cidade Celestial e depois voltou para casa, na Cidade de Destruição. Seria melhor para aqueles que tiveram o gosto das coisas celestiais na boca e, ainda assim, não provaram que o Senhor é benigno[14], que nunca tivessem sabido nada sobre o caminho da justiça.

---

13 Is 14.12. (N.T.)
14 Cf. 1Pe 2.3. (N.T.)

Alguns de vocês, queridos amigos, devem ser ou Flexíveis ou Cristãos; vocês têm, de modo natural, uma disposição tal, que não conseguem evitar ser facilmente influenciados por aqueles a quem se associam; e, a menos que a graça de Deus os torne filhos de Deus, vocês se desviarão Dele. Vocês não chegam a ser Obstinado; são bons demais – de acordo com o nosso uso comum da palavra "bom" – são gentis demais, afetuosos demais e com um coração terno demais para agirem como aquele homem agiu com Cristão. Vocês não poderiam rebaixar-se a beber ou praguejar; a influência de sua mãe e o exemplo de seu pai têm muito poder sobre vocês para se tornarem um Obstinado. Não podem pecar como os outros; não podem pecar por ignorância. Quase chego a dizer que gostaria de que pudessem. Se é para se perderem, se não pretendem crer em nosso Senhor Jesus Cristo, se estão determinados a perecer, seria muito melhor perecer como Tiro e Sidom do que como Betsaida, Corazim ou Cafarnaum.

Creio que, quando entram neste Tabernáculo, alguns de vocês sentem que são Flexível. Há alguns nesta congregação, aos quais conheço pessoalmente, que não conseguem deixar de vir me ouvir, apesar de não serem salvos. Prego para eles, e eles sabem que o faço, e me respeitam por isso, e até me agradecem por isso e, às vezes, dizem que esperam se converter algum dia; mas são tão flexíveis, que choram em um sermão e, de certa forma, oram; mas, quando estão longe daqui, uma mão mais forte do que a minha se apodera deles. Algum companheiro lhes diz: "Venha; não importa o que Spurgeon diz, venha comigo"; e eles não conseguem dizer "não". Eles não têm a coragem moral de dizer que não irão para onde os ímpios os conduzirem. Sempre que são tentados a pecar, eles cedem. Gostariam de que não houvesse tentadores e que pudessem entrar em um mundo onde a bondade estivesse em ascensão. São como um barco à vela, que depende de todos os ventos e é soprado para cá e para lá por qualquer brisa. Não têm força interior para capacitá-los a resistir. Esse não é o caminho para chegar ao Céu.

Você precisa, por assim dizer, de um motor Divino trabalhando de modo poderoso, com toda sua energia arfando e ofegando, de modo que possa fazer avanços contra ventos e ondas, e manter-se sempre seguindo em frente, no mesmo ritmo, sempre firmemente avançando em direção à longínqua porta.

Que Deus, por sua graça, leve você a essa bendita condição! Gostaria de lhe ter falado com tamanha eficácia que você não consiga esquecer-se do que eu disse, antes, que vá para casa pensar sobre isso, orar sobre isso e crer nisso. Gostaria de que você chegasse mesmo a desejar nunca ter nascido, porque, aí então, eu poderia ter esperança de que você desejasse nascer de novo. Não há esperança para você de outra forma. Você nasceu uma vez; não há possibilidade alguma de superar o fato de que tem o seu ser. Peça ao Senhor para que você tenha o seu ser em Cristo Jesus. Você é uma criatura, e a única esperança para você é ser uma nova criatura em Cristo Jesus[15]. Que o Espírito Santo o leve a esse ponto! Peça-Lhe que o faça. O melhor lugar para ter um senso de pecado é aos pés da cruz. Que meu bendito Mestre encontre você lá, e o atraia para Ele mesmo, a fim de que você seja salvo e não seja encontrado entre os Flexíveis no final! Amém.

---

[15] Cf. 2Co 5.17. (N.T.)

CAPÍTULO 3

O HOMEM CUJO NOME ERA AUXÍLIO

Cristão, porém, fora deixado sozinho, debatendo-se no Pântano do Desalento. Todavia, lutava diligentemente para alcançar o lado do pântano que o distanciava ainda mais de sua casa e o aproximava da porta estreita. Chegando à margem, não fora capaz de desatolar-se por causa do pesado fardo que carregava. Então, avistei em meu sonho um homem, cujo nome era Auxílio, que se achegou a ele e perguntou-lhe o que fazia ali.

CRISTÃO: Um homem chamado Evangelista instruiu-me a passar por este caminho, que me levará a uma porta mais adiante, pela qual haverei de escapar da ira vindoura. Enquanto caminhava para lá, caí neste pântano.

AUXÍLIO: Mas por que não atentaste ao caminho diante de ti?

CRISTÃO: Fui tão grandemente tomado pelo medo que acabei por me distrair e caí aqui.

AUXÍLIO: Dá-me tua mão.

Cristão segurou a mão para ele estendida e foi retirado do lodaçal, repousando são e salvo em terra firme. Após recobrar as forças, seguiu o caminho a ele indicado (Sl 40.2).

De acordo com a diversidade de dons procedidos do mesmo Espírito de Deus, aqueles que labutavam em guiar viajantes para a Cidade Celestial, nos primeiros séculos do cristianismo, cumpriam ofícios diferentes, e eram conhecidos por nomes diferentes. Paulo nos diz, em sua primeira carta aos peregrinos coríntios: "A uns estabeleceu Deus na igreja, primeiramente, apóstolos" (1Co 12.28, ARA). Esses deviam ir de lugar em lugar, fundando igrejas e ordenando ministros. Havia, "em segundo lugar, profetas", alguns dos quais emitiam profecias, enquanto outros tinham o dom de explicá-las. Depois vinha "em terceiro lugar, mestres", que eram, provavelmente, tanto pastores estabelecidos sobre diversas igrejas, orientando peregrinos ao longo da estrada para o céu, como Grande-Coração, ou homens como Evangelista, viajando por aí para alertar e direcionar os que encontravam.

"Depois, operadores de milagres; depois, dons de curar", e o apóstolo não esquece de mencionar outra classe de indivíduos, chamados "auxílios"[16]. Quem precisamente eram essas pessoas seria muito difícil, neste tempo, se não impossível, dizer. Alguns, instruídos nos registros de peregrinos, acreditam que eram ministros assistentes, que ocasionalmente auxiliavam pastores estabelecidos, tanto na obra pastoral de visitar quanto na pregação da Palavra. Outros supõem que fossem diáconos assistentes e, talvez, até mesmo diaconisas, um ofício que era

---

[16] Essas pessoas de que Paulo fala e o personagem destacado neste capítulo têm o mesmo nome em inglês: *help*, podendo ser traduzido por "ajuda", "socorro" ou "auxílio". (N.T.)

reconhecido nas igrejas apostólicas. Outros, ainda, imaginam esses "auxílios" como tendo sido os atendentes no santuário, que cuidavam para que os estranhos estivessem devidamente acomodados e tratavam daqueles detalhes, em conexão com as reuniões de pessoas para a adoração unida, que sempre devem ser supervisionados por alguém. Quem quer que fossem, ou quaisquer que fossem suas funções, eles parecem ter sido um corpo útil de pessoas, digno de ser mencionado na mesma lista que apóstolos, profetas e mestres, e mesmo serem mencionados com os operadores de milagres e os que tinham o dom de cura. É muito provável que não tivessem uma posição oficial, mas apenas fossem movidos pelo impulso natural da vida Divina dentro de si para fazer qualquer coisa e todas as coisas que auxiliassem tanto o mestre, como o pastor ou o diácono na obra do Senhor. Eles eram dessa classe de irmãos que são úteis em qualquer lugar, que podem sempre cobrir uma brecha e que só ficam bem felizes quando descobrem que podem ser prestativos à Igreja de Deus, em qualquer função, mesmo que humilde. A Igreja nesta era felizmente teve uma boa brigada de "auxílios", mas talvez uma ou duas palavras possam despertar com lembranças essas mentes esclarecidas[17].

John Bunyan, a quem devemos ver como o mestre da experiência cristã, bem como da santa alegoria, descreveu, na passagem no início deste capítulo, uma parte do trabalho desses "auxílios", que são valiosíssimos e muito requisitados. "Um homem cujo nome era Auxílio" veio para Cristão quando ele se debatia no imundo lamaçal do desalento. Bem quando o pobre homem estava prestes a ficar sufocado, sem conseguir lhe dar pé no Pântano, e quando, com todo seu esforço, ele apenas submergia mais e mais para o fundo no lodo, subitamente lhe veio uma pessoa – da qual Bunyan não diz mais nada durante toda sua alegoria, e aqui conta-nos somente o nome –, que estendeu a mão e,

---

17   Cf. 2Pe 3.1, ARA. (N.T.)

falando palavras de encorajamento para ele, puxou-o para fora do lodo, colocou-o na estrada do Rei e, em seguida, voltou a cuidar dos próprios negócios, um homem desconhecido à fama na terra, mas inscrito nos registros dos céus como um sábio em ganhar almas.

Há períodos, na vida Divina, em que o auxílio de irmãos cristãos sensatos é inestimável. A maioria de nós, que agora se regozija com uma esperança bem assegurada, conheceu mais do que gostaria daquele terrível Pântano do Desalento. Eu mesmo me debati nele por cinco anos, ou por volta disso, e estou, portanto, bem familiarizado com sua terrível geografia. Em alguns lugares é mais profundo do que em outros, e mais nauseante. Assim era o local onde Davi estava quando gritou: "Atolei-me em profundo lamaçal, onde não se pode estar em pé"[18]; mas, creia-me, um homem pode considerar-se triplamente feliz quando sai dali; pois, mesmo na melhor das hipóteses, quando ele está razoavelmente dentro daquele lugar, este o ameaça a engoli-lo vivo. Querida, muito querida a nós, deve sempre ser a mão que nos ajudou a sair do horrível fosso; e, conquanto atribuamos toda a glória ao Deus da graça, não podemos deixar de amar mais afetuosamente o instrumento que Ele enviou para ser o meio de nossa libertação.

No cimo de alguns dos desfiladeiros suíços, para a preservação e alojamento de viajantes, os cantões mantêm um pequeno corpo de homens, que vivem em uma casinha na montanha e cujo negócio é auxiliar os viajantes no trajeto. Foi muito agradável, enquanto batalhávamos na subida íngreme de Colle Valdobbia, no Norte da Itália, ver, a uns cinco ou seis quilômetros do topo, um homem descendo em nossa direção, que nos saudou como se nos conhecesse há anos e que estivera aguardando nossa chegada. Ele carregava uma pá na mão; e, embora não soubéssemos o que estava à nossa frente, ele evidentemente conhecia

---

[18] Sl 69.2. (N.T.)

tudo aquilo e estava prevenido para qualquer emergência. Pouco a pouco, chegamos à neve profunda, e nosso gentil desbravador foi imediatamente trabalhar com sua pá para abrir passagem, ao longo da qual ele carregava os mais fracos do bando nas costas. Fazia parte do seu negócio cuidar dos viajantes; e, logo depois, juntou-se a ele outro, que trouxe consigo refrigério para os cansados. Esses homens eram "auxílios", que passavam a vida naquela parte da estrada em que se sabia que seus serviços seriam frequentemente requisitados. Eles valeriam pouco nas planícies; a atenção deles poderia até ter sido considerada intrusiva se houvessem nos encontrado em qualquer outro lugar; mas eram extremamente valiosos, porque se apresentavam apenas onde fossem requisitados, tendo, por assim dizer, nos com bondade.

O socorro é de pouca utilidade para um homem quando ele pode socorrer a si mesmo; mas, quando ele está irremediavelmente escorregando em meio ao lodo do Pântano do Desalento, então um homem de coração afetuoso torna-se mais precioso que o ouro de Ofir.

Os homens dessa brigada de "auxílios", se bem entendi Bunyan, estão estacionados ao redor da borda do grande e sombrio Pântano do Desalento, e o negócio deles é manter vigilância e poder escutar, ao longo da beira do pântano, o clamor de qualquer pobre viajante, surpreendido pela noite, que esteja se debatendo no lodaçal. Assim como a *Royal Humane Society*[19] mantém seus homens ao longo das margens dos lagos nos parques durante o inverno e, quando o gelo está se formando, lhes diz que estejam vigilantes e cuidem de qualquer um que se aventure sobre ele; do mesmo modo um grupinho unido de cristãos, tanto homens quanto mulheres, deve sempre estar pronto, em cada igreja, para poder

---

19   Sociedade estabelecida em Londres, em 1774. Seu objetivo era recompensar e promover atos de salvamento de vidas e divulgar técnicas de ressuscitação e resgate, em especial do perigo de afogamento. (N.T.)

escutar os clamores de desespero e para vigiar pelos corações partidos e espíritos abatidos. Tais são os "auxílios" de que precisamos; e tais eram, talvez, os antigos "auxílios" mencionados por Paulo.

Pode ser bom dar algumas instruções para esses "auxílios" sobre como podem auxiliar os pecadores que buscam sair do Pântano do Desalento.

Pela minha própria experiência pastoral, sou levado a recomendar uma imitação cuidadosa do "homem cujo nome era Auxílio", conforme descrito por Bunyan. Assim, em primeiro lugar, quando se encontrar com alguém que esteja desesperado, faça com que ele exponha a própria situação. Quando ajudou Cristão, Auxílio não estendeu a mão de uma vez, mas perguntou o que ele fazia ali e por que não havia procurado pelas rochas firmes. Faz muito bem aos homens serem levados a revelar suas mágoas espirituais a seus consoladores. Confissão a um padre é uma abominação, mas a comunicação de nossas dificuldades espirituais a um companheiro cristão será, muitas vezes, um doce alívio e um exercício útil. Você, que procura auxiliar o desperto, será sábio, como os anjos no túmulo, se inquirir da chorosa Maria: "Mulher, por que choras?"[20]. A resposta dessas pessoas direcionará a linha de ação do auxiliador e ajudará na aplicação da consolação necessária. O paciente que entende a enfermidade cederá mais alegremente ao tratamento do sábio médico. Descobri, em algumas ocasiões, que o mero ato de declarar a dificuldade tem sido o meio de removê-la de uma vez. Algumas das dúvidas mais angustiantes, como a pavorosa coruja-das-torres, não suportam a luz do dia. Há muitas dificuldades espirituais que, se um homem encará-las inteira e justamente por tempo o bastante para ser capaz de descrevê-las, elas desaparecerão durante o escrutínio.

---

20   Cf. Jo 20.13. (N.T.)

"Homem de pouca fé, por que duvidaste?"[21] é a maneira de nosso Senhor colocar a razão em posição de batalha contra a incredulidade. Deixe o enlutado expôr a própria situação, por todos os meios; e escute-o pacientemente. Pegue aquele jovem sozinho, querido irmão; peça-lhe para se sentar tranquilo com você e lhe pergunte: "Qual é o ponto que o confunde? O que você não consegue entender? O que o faz ficar tão desanimado e abatido?". Sabiamente, o bom Auxílio induziu Cristão a descarregar suas mágoas; faça o mesmo.

Juntamente com isso, entre, no que depender de você, na situação diante de si. Auxílio chegou à beira do Pântano e se curvou para seu pobre amigo. Essa talvez lhe pareça uma orientação sem importância, mas confie nela; você será de pouquíssimo auxílio, se for de algum, caso não a siga. Compaixão é a principal fonte de nossa habilidade de confortar os outros. Se você não consegue entrar na angústia de uma alma, não será "filho da consolação"[22] para essa alma. Portanto, procure abaixar-se para chorar com os que choram[23], de modo que possa elevá-los ao nível da alegria que você tem. Não despreze uma dificuldade por ela parecer pequena para você; lembre-se de que ela pode ser muito grande para a pessoa por ela atormentada. Não comece a repreender, a dizer ao ansioso questionador que ele não deve se sentir como está se sentindo nem ficar angustiado como está. Como Deus coloca Seus braços eternos por baixo de nós quando estamos fracos, da mesma forma você deve colocar os braços estendidos de sua compaixão por baixo de seus irmãos mais jovens e mais fracos, de modo que possa erguê-los. Se vir um irmão no lamaçal, coloque seus braços na lama para que, pela graça de Deus, você consiga tirá-lo de corpo inteiro. Relembre que você outrora esteve onde aquela desalentada irmã sua está agora; e tente,

---

21 Mt 14.31. (N.T.)
22 At 4.36. (N.T.)
23 Cf. Rm 12.15. (N.T.)

se puder, trazer de volta seus próprios sentimentos quando você estava na condição dela. Pode ser, como dizem, que o mancebo ou a donzela sejam muito tolos. Sim, mas você outrora foi tolo; e, então, abominava todo tipo de alimento sólido e sua alma aproximava-se dos portões da morte. Você precisa, usando a linguagem de Paulo, tornar-se tolo por amor a eles[24]. Você deve se colocar na condição desses simplórios. Se não consegue fazê-lo, você precisa de treinamento que o ensine a ser um auxílio; por ora, você não sabe como fazê-lo.

Seu próximo passo pode ser confortar esses pobres irmãos com as promessas de Deus. Auxílio perguntou a Cristão por que ele não procurou as rochas firmes, pois foram colocadas no meio do Pântano pedras boas e substanciais para pisar; mas Cristão disse que não as notara devido ao medo excessivo. Devemos direcionar as almas submersas às muitas promessas preciosas da Palavra de Deus. Irmãos, cuidem para que vocês mesmos estejam bem familiarizados com as declarações consoladoras das Escrituras; tenham-nas na ponta da língua, prontas para o uso a qualquer momento que forem necessárias. Ouvi falar de um certo estudioso que costumava carregar consigo cópias em miniatura dos autores clássicos por aí, de modo que ele parecia ter quase uma Biblioteca Bodleiana[25] no bolso. Ah, que você carregue Bíblias em miniatura consigo; ou, melhor ainda, que você tenha toda a Palavra de Deus escondida em seu coração, para que, como seu Senhor, você "saiba dizer a seu tempo uma boa palavra ao que está cansado"[26]! "Quão boa é a palavra dita a seu tempo!"[27] Sempre que você cruzar com uma alma angustiada, que coisa abençoada é ser capaz de lhe dizer: "Sim, você é um pecador, é verdade; mas Jesus Cristo veio ao mundo para

---

24 Paráfrase do conceito de Paulo apresentado em 1Co 4.10 e 9.22. (N.T.)
25 A Biblioteca Bodleiana fica em Oxford e foi inaugurada em 1602. É uma das mais antigas da Europa e é a segunda em tamanho na Grã-Bretanha. (N.T.)
26 Is 50.4. (N.T.)
27 Pv 15.23. (N.T.)

salvar os pecadores!". Possivelmente, ele lhe dirá que não pode fazer coisa nenhuma; mas você pode responder que não lhe é dito para fazer coisa alguma, pois está escrito: "Crê no Senhor Jesus Cristo e serás salvo, tu e a tua casa"[28]. Ele talvez responda que não consegue crer; mas você pode lembrá-lo da promessa: "Porque todo aquele que invocar o nome do Senhor será salvo"[29].

Alguns textos da Bíblia são como aquelas constelações no céu tão visíveis que, uma vez que o marinheiro as vê, ele sabe em que direção está conduzindo a embarcação. Certas passagens brilhantes das Escrituras parecem estar colocadas no firmamento de revelação como estrelas-guia para almas confusas. Aponte para elas. Cite-as com frequência. Fixe os olhos do pecador nelas. Desse modo, você o auxiliará com mais eficácia.

Se uma alma desesperada ler estas páginas, deixe-me citar para ela estas extremamente grandes e preciosas promessas de nosso Deus gracioso: "Deixe o ímpio o seu caminho, e o homem maligno os seus pensamentos, e se converta ao Senhor, que se compadecerá dele; torne para o nosso Deus, porque grandioso é em perdoar"[30]. "Ele não retém a sua ira para sempre, porque tem prazer na sua benignidade."[31] "E quem quiser, tome de graça da água da vida."[32] Esses três textos são exemplos das "rochas firmes" que o "Senhor deste caminho" fez serem colocadas onde pudessem auxiliar os pecadores que estão afundando.

Depois de citar a promessa, tente instruir aqueles que podem precisar de seu auxílio de modo mais completo no plano de salvação. O Evangelho é pregado, todos os sábados, em milhares de púlpitos, contudo não há nada que seja tão pouco conhecido ou corretamente

---

28 At 16.31. (N.T.)
29 Rm 10.13. (N.T.)
30 Is 55.7. (N.T.)
31 Mq 7.18. (N.T.)
32 Ap 22.17. (N.T.)

entendido quanto a verdade como está em Jesus[33]. O pregador não consegue, mesmo com todas suas tentativas, tornar o simples Evangelho claro para alguns de seus ouvintes; mas você, que não é pregador, poderá fazê-lo, porque seu estado de espírito e sua educação podem adequar-se exatamente à compreensão da pessoa em questão. Deus é minha testemunha do quão sinceramente sempre me esforço para tornar claro e simples o que eu digo; contudo, meus modos peculiares de pensamento e expressão podem não ser adequados às características específicas de certas pessoas em minha audiência. Você, por meio de santo tato e perseverança, pode ser capaz de animar aqueles corações que não recebem nem um brilho de luz vinda de mim. Se meus irmãos e irmãs, os "auxílios", estiverem constante e inteligentemente ativos, eles podem, pela linguagem familiar, muitas vezes explicar o que os teólogos apenas confundem; aquilo que talvez não tenha sido entendido na forma de teologia escolástica, pode alcançar o coração quando proferido na linguagem da vida cotidiana. Precisamos de pregadores de cozinhas e oficinas e sala de visitas, que possam falar o dialeto natural dos homens; universidades e faculdades muitas vezes obscurecem a verdade por seus modos próprios de falar. Se vocês, nossos amigos que se associam com o mundo, somente colocarem a mesma coisa de outra forma, o pecador dirá: "Ah! Agora eu vejo; não havia conseguido compreender na linguagem do pastor, mas consigo entender em sua fala clara". Se quer auxiliar as almas, mostre-lhes o Salvador. Não as perturbe com assuntos irrelevantes, mas encaminhe-as de uma vez ao "precioso sangue de Jesus", pois essa é a única fonte de perdão e purificação. Diga ao pecador que todo aquele que confia em Jesus será salvo. Não aponte para a porta estreita, como fez Evangelista; pois esse não é o caminho mais confiável, mas diga ao pecador que vá direto para a Cruz. O pobre Cristão não precisaria ter chafurdado no Pântano do Desalento se

---

33   Cf. Ef 4.21. (N.T.)

houvesse se encontrado com um crente plenamente instruído, que o orientasse logo no início. Não ralhe com o equivocado Evangelista, mas busque, sempre apontando o Calvário para o pecador, desfazer o prejuízo que ele causou ao peregrino.

Gostaria de complementar isso? Então, conte sua própria experiência à pessoa atribulada. Muitos foram ajudados a escapar do Pântano do Desalento dessa forma. "O quê?", exclama o jovem amigo com quem estamos conversando, "você já se sentiu como eu?". Muitas vezes já me deleitei, quando conversando com os questionadores em vê-los abrir os olhos com espanto por pensar que eu alguma vez já me senti como eles, embora eu devesse ter aberto os meus com muito mais assombro, se não o houvesse. Contamos a nossos pacientes todos seus sintomas, e eles ficam achando que devemos ter-lhes lido o coração; enquanto o fato é que nosso coração é exatamente igual ao deles e, ao lermos a nós mesmos, nós os lemos. Seguimos pela mesma estrada que eles, e seria muito difícil que não conseguíssemos descrever aquilo pelo que nós mesmos passamos. Mesmo os cristãos avançados costumam obter grande conforto lendo e ouvindo a experiência de outros, se é em algo parecida com a deles; e, para os jovens, é um meio de graça muito abençoado ouvir algum outro contar o que passou antes deles. Eu gostaria de que nossos irmãos mais velhos auxiliassem mais frequentemente nesse assunto; e que, quando vissem outras pessoas em apuros, lhes dissessem que passaram pelas mesmas dificuldades, em vez de, como alguns fazem, culpar os jovens por não saberem o que não têm como saber e de recriminá-los por não terem "cabeça de velho em ombros de jovens", onde, a propósito, ela estaria singularmente fora de lugar.

Novamente, você será de muito auxílio para o jovem questionador se orar com ele. Oh, o poder da oração! Quando você não consegue dizer ao pecador o que quer dizer, você pode, por vezes, dizer a Deus aos ouvidos do pecador. Existe um modo de dizer, em oração com uma pessoa, o que você não consegue dizer diretamente para ela; e não tem problema, algumas vezes, quando em oração com outra pessoa, colocar o caso muito clara e sinceramente, algo como o seguinte:

Senhor, Tu sabes que esta pobre mulher, ajoelhada agora diante de Ti, está muito atribulada; mas a culpa é dela mesma. Ela não crê em Teu amor, porque diz que não sente nenhuma evidência disso. Tu deste evidências suficientes ao dares Teu querido Filho; mas ela persiste em querer ver algo por conta própria sobre o qual possa descansar, alguma boa disposição de espírito ou bons sentimentos. Foi-lhe dito, muitas vezes, que toda sua esperança está em Cristo e absolutamente não nela mesma; no entanto, ela continua a procurar fogo no meio da água e vida entre os túmulos da morte. Abre os olhos dela, Senhor; vira-lhe o rosto na direção certa e a leva a olhar para Cristo, e não para si mesma!

Orar dessa forma coloca as coisas de modo muito claro, e essa oração pode ser útil em si mesma. Além disso, existe um poder real na oração; o Senhor seguramente ainda ouve o clamor de Seu povo. Tão certo quanto o fluido elétrico[34] carrega a mensagem de um lugar para outro, assim como as leis da gravitação controlam as esferas, da mesma forma certamente a oração é um poder misterioso, conquanto muito real. Deus responde, sim, à oração. Estamos tão certos disso quanto do ar que respiramos: testamos e provamos. Não é ocasionalmente que Deus nos ouve, mas, para nós, tornou-se algo tão regular pedir e ter quanto o é para nossos filhos nos pedirem por comida e receberem de nossas mãos. Eu dificilmente pensaria em tentar provar que Deus ouve a minha oração; minha ausência de dúvida quanto a isso é a mesma que

---

34 Acreditava-se que a eletricidade fosse um fluido, seguindo pelos fios metálicos como a água flui pelos canos. (N.T.)

tenho quanto ao fato de que a lei da gravidade me afeta quando ando, me sento, me levanto e me deito. Exercite, então, esse poder da oração, e você descobrirá com frequência que, quando nada mais auxiliar uma alma a sair de sua dificuldade, a súplica o fará. Não existem limites, queridos amigos, se Deus está com vocês, para a capacidade que têm de auxiliar outros por meio do poder da oração.

Essas instruções, e elas não são muitas, devem ser mantidas em sua mente, assim como as instruções da *Royal Humane Society*, com referência a pessoas que estão em perigo de se afogar.

CAPÍTULO 4

"AUXÍLIOS"

Tendo falado sobre a melhor maneira de auxiliar as almas a saírem do desalento e da angústia, devo agora prosseguir para descrever aqueles que podem verdadeiramente ser chamados de Auxílios, pois nem todo mundo, nem mesmo todo cristão professo, está qualificado para realizar esse trabalho tão necessário.

A primeira qualidade indispensável para um verdadeiro "auxílio" é que *ele tenha um coração terno*. Alguns irmãos são, pela graça Divina, especialmente preparados e aptos para se tornarem ganhadores de almas. Conheço um irmão sério a quem já chamei muitas vezes de meu cão de caça, pois ele está sempre vigiando por aqueles que foram feridos pela Palavra. Tão logo vê existirem almas que parecem ansiosas, ele já fica alerta, e, sempre que ouve sobre uma reunião de convertidos, fica todo atento. Ele podia parecer entediado e pesado antes, mas, nessas ocasiões, seus olhos brilham, seu coração bate mais rápido, toda sua alma é levada à ação e ele se torna como um novo homem. Em outra companhia, ele talvez não se sinta em casa; mas, entre convertidos e questionadores, ele fica todo vivo e feliz. Onde eles puderem ser encontrados, o coração desse homem logo pega fogo; pois, em meio às diversidades de dons que procedem do único Espírito, o dom dele, evidentemente, é o de auxiliar almas a saírem de dificuldade espiritual. Um homem assim era Timóteo, de quem Paulo escreveu aos Filipenses: "Porque a ninguém tenho de igual sentimento, que sinceramente cuide do vosso estado"[35].

Você sabe que, na vida comum, algumas pessoas nascem enfermeiras, enquanto outras jamais conseguiriam tratar de enfermos. Se você estivesse doente, não se interessaria em tê-las por perto, mesmo que viessem de graça ou pagassem para ficar. Provavelmente a intenção delas seja boa; mas, de uma forma ou outra, elas não têm a gentileza e a ternura que são indispensáveis a uma boa enfermeira. Elas cruzam a sala pisando com tanta força, que acordam o pobre paciente; e, se houvesse algum medicamento a ser tomado à noite, o sabor seria ainda pior se elas o administrassem. Mas, por outro lado, você, que já conheceu uma enfermeira de verdade – talvez sua própria esposa –, nunca lhe ouviu os passos enquanto atravessava a sala quando você estava doente, pois seus passos são tão suaves que é quase mais fácil ouvir-lhe o coração batendo do que ouvir-lhe as passadas. Além disso, ela entende seus gostos e desgostos, e sempre sabe exatamente o que trazer para que seu fraco apetite seja atiçado. Quem já ouviu falar de uma enfermeira mais apta para o trabalho do que a senhorita Nightingale[36]? Parece que Deus a enviou ao

---

35 Fp 2.20. (N.T.)
36 Florence Nightingale (1820–1910) é considerada a precursora da enfermagem moderna. O trabalho dessa britânica ficou conhecido não só por sua corajosa atuação em campo de batalha, mas também por sua competência em corrigir pontos deficitários nos ambientes e tratamentos de saúde da época. (N.T.)

mundo com um propósito, não apenas para que ela própria fosse uma enfermeira, mas para que pudesse ensinar outros a serem enfermeiros. É assim mesmo nas coisas espirituais. Usei uma ilustração familiar para mostrar-lhe o que quero dizer. Há indivíduos que, se tentam confortar os aflitos, trabalham de modo tão desajeitado, que têm certeza de que causam muito mais problemas do que os removem; consolar o enlutado não é, evidentemente, o forte deles. O verdadeiro "auxílio" para as almas atribuladas é aquele que, embora não esteja com a cabeça cheia de erudição clássica, tem um coração grande e aquecido; ele é, de fato, todo coração. Foi dito que o amado apóstolo João era um pilar de fogo da cabeça aos pés. Esse é o tipo de homem que uma alma deseja quando está tremendo no frio inverno de desalento e angústia. Nós conhecemos tais homens; que Deus treine muitos mais e dê a todos nós mais da doçura que havia em Cristo; pois, a menos que sejamos preparados para o trabalho, jamais conseguiremos fazê-lo de modo apropriado.

Um verdadeiro "auxílio" requer não apenas um coração grande e amoroso, mas um olho e um ouvido muito rápidos. Existe uma maneira de obter olhos e ouvidos sensivelmente aguçados em relação aos pecadores. Conheço alguns irmãos e irmãs que, quando estão sentados em seus bancos no templo, quase conseguem dizer como a Palavra está operando sobre os que estão perto. "Auxílios" treinados e experientes sabem exatamente o que devem dizer a seus semelhantes quando o sermão terminar; eles entendem como dizê-lo e sabem se devem dizê-lo no banco, ou descendo as escadas, ou do lado de fora do edifício, ou se devem esperar até mais tarde, no decorrer da semana. Eles têm um tipo de instinto sagrado, ou melhor, uma unção do Espírito Santo, que lhes diz exatamente o que fazer, como fazer e quando fazer. É algo abençoado quando Deus, dessa forma, coloca Seus vigias ao longo das bordas do Pântano do Desalento. Então, com ouvidos rápidos, eles ouvem todos os sons; e, pouco a pouco, quando ouvem um barulho em qualquer parte do lamaçal, embora possa estar muito escuro e enevoado, eles se apressam para o resgate.

Possivelmente, ninguém mais ouviu o grito da alma em perigo, a não ser aqueles que se dispuseram a ouvi-lo.

Também queremos, para este trabalho, homens com pés ligeiros, para correr em auxílio dos aflitos. Alguns professos nunca falam com seus vizinhos sobre a alma deles; mas agradecemos a Deus que existem outros que não deixam um estranho ir sem uma palavra honesta a respeito de Cristo. Oro para que tais "auxílios" perseverem no bom hábito, e tenho certeza de que o Senhor os abençoará nisso; pois, conquanto haja muita coisa que possa ser feita pelo pregador que transmite fielmente a mensagem do Mestre, há ainda muito mais que pode ser feito por aqueles capazes de, em conversa pessoal, alcançar a consciência do ouvinte, e, com o auxílio do Espírito Santo, iluminar-lhe a alma.

Para um "auxílio" completamente eficiente, dê-nos também um homem com um rosto amoroso. Nós não fazemos nosso próprio rosto; mas nenhum irmão que é habitualmente soturno fará muito com questionadores ansiosos. A alegria recomenda a si mesma, especialmente a um coração atribulado. Não queremos leviandade nesse santo serviço, mas há uma grande diferença entre alegria e leviandade. Sei que sempre posso dizer o que sinto para um homem que me olha de modo gentil, mas não conseguiria comunicar nada a um que, em uma fria forma oficial, falasse comigo com uma grande distância, de cima para baixo, como se seu negócio fosse inquirir minhas questões particulares com o objetivo de me avaliar e me voltar para a direção oposta. Envolva-se nesse difícil trabalho de modo brando, suave e terno; que seu semblante alegre diga que vale a pena ter a religião que você tem, que ela o anima e o conforta; pois, dessa forma, a pobre alma na Pântano do Desalento estará mais propensa a ter esperança de que ela o animará e o confortará.

Honestamente, também, permita-me recomendar que você tenha os pés firmados caso queira ser um "auxílio" para os outros. Caso tenha de puxar um irmão para fora do Pântano, você mesmo deve permanecer firme; ou, caso contrário, enquanto estiver tentando erguê-lo, ele poderá puxá-lo para o lodaçal. Lembre-se que ouvir as dúvidas de outros pode dar origem a dúvidas semelhantes em sua própria mente, a menos que você esteja firmemente estabelecido em seu interesse pessoal em Cristo Jesus. Para ser útil no serviço de seu Senhor, você não pode estar sempre duvidando e temendo. Convicção plena não é necessária para a salvação, mas é necessária para seu sucesso como auxílio para outros. Lembro-me, quando ensinei pela primeira vez em uma escola dominical, de tentar mostrar o Salvador para um dos meninos da classe. Ele parecia preocupado com seu estado espiritual e me disse:

– Professor, o senhor é salvo?

Eu respondi:

– Sim.

– Mas tem certeza de que é? – perguntou ele.

E, embora eu não lhe tenha respondido naquele mesmo momento, senti que não poderia assegurar-lhe muito bem de que há certamente salvação em Jesus Cristo, a menos que eu mesmo houvesse confiado Nele e provado Seu poder para salvar. Empenhe-se para conseguir um apoio seguro para os pés; pois, então, você será mais útil ao redor da beira do Pântano do Desalento do que aqueles que estão constantemente escorregando sobre suas margens viscosas.

Enquanto deseja auxiliar os que estão lutando no Pântano, tente conhecê-lo bem; descubra suas partes piores e averigue onde é mais fundo. Você não precisará ir muito longe para saber isso; é provável que já tenha estado pessoalmente ali, portanto relembre algumas coisas sobre o lugar; e com facilidade você pode pesquisar com um e com outro onde ele é pior. Procure, se puder, entender a filosofia mental do desalento de espírito; não digo que o faça estudando Dugald Stewart[37] e outros escritores de filosofia mental; mas, por experiência real e de coração, busque familiarizar-se de modo prático com as dúvidas e medos que agitam as almas despertas.

Quando houver feito isso, que o Senhor lhe dê – pois você precisará disso se quiser ser bem prestativo – uma mão forte, a fim de poder agarrar firmemente o pecador a quem deseja resgatar! Nosso Senhor Jesus Cristo não curou os leprosos sem tocá-los, e não podemos fazer o bem a nossos companheiros se permanecermos sempre à distância deles. O pregador, às vezes, é capaz de capturar seus ouvintes; ele pode sentir que os tem em suas mãos e que pode fazer praticamente qualquer coisa que quiser com eles. E, se você vai ser um "auxílio" para os outros, terá de aprender a bendita arte de conquistar a consciência, o coração, o juízo, o homem inteiro. Uma vez que consiga prender o coração atribulado, jamais o solte até o ter levado à paz.

Acostume sua mão, como se fosse um vício, a nunca deixar o pecador ir, uma vez que o agarre. Será que um servo de Deus deve deixar cair de volta no Pântano um pecador que outrora havia tomado pela mão e começado a puxar para fora? Não, não enquanto a rocha, sobre a qual ele está, permanece firme e inabalável, e ele pode segurar o pecador com as mãos da fé e da oração. Que Deus o ensine a prender homens pelo amor, pela compaixão espiritual, por aquela sagrada paixão pelas almas que não lhe permite soltá-las até que estejam salvas!

Finalmente, se for auxiliar os outros a saírem do Pântano do Desalento, você deve ter costas que se curvem. Não dá para tirá-los se ficar rigidamente ereto; você deve descer até onde as pobres criaturas estão afundando no lamaçal. Elas estão quase partindo, a lama e o visco

---

37 Dugald Stewart (1753–1828) foi um filósofo e grande expoente da escola escocesa de "filosofia de senso comum". Seus estudos incluíram filosofia da mente humana e dos poderes ativos e morais sobre o homem. (N.T.)

estão quase lhes cobrindo a cabeça; portanto, você deve arregaçar as mangas e trabalhar com vontade se quiser resgatá-las. "Mas elas não sabem falar direito!", diz alguém. Não importa; não fale uma linguagem rebuscada com elas, pois não entenderiam; fale de modo tosco, como entendem. Diz-se que muitos dos sermões de Agostinho estão cheios de latim chocantemente pobre, não porque Agostinho fosse um estudante ruim de latim, mas porque o latim macarrônico da época era mais adequado ao ouvido popular do que o idioma mais classicamente correto seria. E nós temos de falar em estilo semelhante se quisermos agarrar os homens. Há um certo recato sobre os ministros que os desqualifica para alguns tipos de trabalho; eles não podem levar a própria boca a proferir a verdade em palavras tão claras que vendedoras de peixe entendessem. Mas feliz é o homem cuja boca é capaz de declarar a verdade de tal modo que as pessoas com quem está falando a recebam. "Mas lembre-se da dignidade do púlpito", diz um. Sim, eu me lembro; mas o que é isso? A "dignidade" de um carro de guerra consiste no número de cativos acorrentados a suas rodas, e "a dignidade do púlpito" consiste nas almas convertidas para Deus por meio do Evangelho proclamado sobre ele. Não dê a seus ouvintes nenhum jargão sublime, sentenças johnsonianas[38] e frases enroladas; não há "dignidade" em nenhuma dessas coisas se elas forem demais para seus ouvintes. Você deve, como Paulo escreveu aos romanos, condescender "com o que é humilde"[39]; e, algumas vezes, você vai deparar-se com homens e mulheres aos quais deve dirigir-se em um estilo que não é louvado em si mesmo pelo seu gosto pessoal exigente, mas que seu bom senso e seu coração ordenarão e o impelirão a usar. Aprenda a rebaixar-se. Não entre, por exemplo, em uma choupana como uma bela dama, que deixa

---

[38] Estilo literário caracterizado por um palavreado retoricamente equilibrado e frequentemente pomposo e um vocabulário excessivamente latino. Seu nome deve-se ao estilo de escrita praticado por Samuel Johnson (1709–1784). (N.T.)
[39] Cf. Rm 12:16, ARA. (N.T.)

que todos vejam quão condescendente de sua parte é visitar pessoas pobres. Vá e sente-se em uma cadeira quebrada, se não houver outra no recinto; sente-se na pontinha, se ela não tiver mais assento; sente-se perto da boa mulher, mesmo que ela não esteja tão limpa quanto poderia; e fale com ela, não como superior, mas como igual. Se houver um menino jogando bolinhas de gude e você quiser falar com ele, não é preciso chamá-lo para longe da brincadeira, não olhe para ele de cima, como o professor faria; mas comece com algumas expressões divertidas e, então, solte-lhe uma frase mais séria ao ouvido. Se quer fazer bem às pessoas, você deve ir até elas onde estão. Não adianta pregar sermões oratórios para homens se afogando; você deve ir até a beira do charco, esticar os braços e tentar agarrá-los.

Essas, então, são algumas das qualificações de um verdadeiro "auxílio".

Agora termino empenhando-me em encorajar aqueles, dentre nossos irmãos e irmãs, que foram "auxílio" no passado a que continuem ainda mais sinceramente com esse trabalho no futuro, e em estimular aqueles que ainda não tentaram a começar de uma vez.

Talvez alguém pergunte: "Por que devo auxiliar os outros?". Minha resposta a essa pergunta é: porque as almas precisam de auxílio; isso não é suficiente? O clamor da miséria é argumento suficiente para demonstração de misericórdia. Almas estão morrendo, perecendo; portanto, ajude-as. Algumas semanas atrás, houve, nos jornais, uma história de um homem encontrado morto em uma vala; e, posteriormente, constatou-se que ele devia estar ali há seis semanas. Foi dito que alguém teria ouvido o grito: "Perdido! Perdido!", mas estava escuro, então não saiu para ver quem era! "Chocante! Chocante!", diz você; e, contudo, você talvez aja do mesmo modo em relação às almas imortais. Entre seus vizinhos, há muitos que talvez não clamem: "Perdido!", porque não sentem que estão perdidos, mas estão; e você vai deixá-los morrer na vala da ignorância sem ir em auxílio deles? Há outros que estão gritando: "Perdido!" e que precisam de uma palavra de conforto e orientação; você os deixará perecer em desespero, por falta dessa palavra? Irmãos e irmãs em Cristo, que as necessidades da humanidade os levem a agir a favor de muitos perdidos a seu redor.

Lembre-se também de como você foi auxiliado quando estava em condições semelhantes às deles. Alguns de nós jamais se esquecerão daquela querida professora da escola dominical, da terna mãe, da graciosa mulher, daquele amável jovem, daquele excelente presbítero da Igreja, que fizeram tanto por nós quando estávamos com a alma atribulada. Nós sempre nos recordaremos de sua brilhante atenção e assistência; eles nos pareceram visões de anjos brilhantes, quando estávamos no denso nevoeiro e na escuridão do desespero. Assim, pague a dívida que você tem para com eles, cumpra a obrigação auxiliando outros, como você foi auxiliado em seu tempo de aflição.

Além disso, Cristo merece. Há um cordeirinho perdido lá fora, na escuridão; é o cordeirinho Dele, você não cuidará desse cordeirinho por amor a Cristo? Se houvesse uma criança estranha à nossa porta, pedindo por um abrigo à noite, a humanidade comum poderia nos incitar a acolher a pobre criaturinha contra a neve e o vento; mas, se fosse o filho de nosso próprio irmão, ou de algum amigo querido, a simpatia pelo parentesco iria constranger-nos a protegê-la. Esse pecador é, para todos os efeitos, seu irmão na grande família humana; assim, pelo relacionamento com você, embora ele não o discirna no momento, uma obrigação moral repousa sobre você para lhe dar todo o auxílio que estiver a seu alcance.

Amado, você não ia querer nenhum outro argumento se soubesse quão abençoado é o trabalho por si só. Quer ganhar experiência? Então, ajude os outros. Quer crescer em graça? Então, ajude os outros. Quer livrar-se de seu próprio desalento? Então, ajude os outros. Esse trabalho acelera a pulsação, clareia a visão, robustece a alma em santa coragem; mil bênçãos são conferidas à sua própria alma ao auxiliar os outros no caminho para o Céu. Encerre as inundações de seu próprio coração, e elas ficarão estagnadas, fétidas, podres, sujas; deixe-as fluir, e serão frescas e doces, e continuamente brotarão. Viva para os outros e você viverá uma centena de vidas em uma só. Para verdadeira bem-aventurança, divorcie-me da ociosidade e una-me à diligência.

Se isso não for motivo suficiente, lembre-se de que você foi chamado para esse trabalho. Seu Mestre contratou-o, por isso não lhe compete eleger ou escolher o que você fará. Ele lhe empresta seus dons, de modo que você deve fazer com eles como Ele manda. Determine que você fará, de imediato, algum serviço prático para seu Mestre, pois Ele o chamou para isso. Caso contrário, você provavelmente sentirá em breve a vara da correção. Se não auxiliar os outros, Deus o tratará como os homens tratam seus mordomos que não fazem o uso correto dos bens que lhes são confiados; seu talento será tirado de você. A doença pode vir sobre você, por não ter sido ativo enquanto estava com saúde; você pode ser reduzido à pobreza, por não ter feito um uso correto de suas riquezas; você pode ser levado a um profundo desespero, por não ter ajudado almas em desespero. O sonho do faraó realiza-se com frequência desde aqueles dias. Ele sonhou que sete vacas gordas subiam do rio e que subiam sete magras atrás delas e comiam as vacas gordas. Algumas vezes, quando está cheio de alegria e paz, você está preguiçoso e ocioso e não faz bem aos outros; e, quando for esse o caso, tema que as sete vacas magras devorem as sete gordas. E pode estar certo de que os dias de vacas magras, nos quais você nada faz para seu Mestre, domingos magros, orações magras, e assim por diante, comerão até seus gordos sábados, suas gordas graças, suas gordas alegrias, e, então, onde você estará?

Ademais, lembre-se de que, a cada hora que vivemos, estamos mais próximos do Céu, e os pecadores estão mais próximos do inferno.

O tempo em que podemos servir a Cristo ganhando almas está constantemente ficando curto, como uma vela derretendo. Nossos dias são muito poucos, então usemo-los todos para Deus. Não nos esqueçamos da recompensa que Ele dará a Seus servos fiéis. Feliz espírito o que ouvirá outros dizerem, enquanto entra nas regiões celestiais: "Meu pai, eu te recebo!". Almas sem filhos na glória, que nunca foram feitas bênçãos para outros na terra, certamente perderão o próprio Céu do Céu; mas as que levaram muitos a Cristo terão, em adição ao próprio êxtase, a alegria de afinidade com os outros espíritos para os quais elas foram o meio de condução ao Salvador. Gostaria de poder colocar a mensagem do meu Mestre em palavras que ardessem até entrar no coração de vocês. Desejo que cada membro da igreja seja um trabalhador para Cristo. Não queremos zangões nesta colmeia; queremos todas as abelhas, e nenhuma vespa. As pessoas mais inúteis são geralmente as mais contenciosas; e as mais felizes e pacíficas costumam ser as que mais fazem por Cristo. Não somos salvos pelas obras, mas pela graça. Contudo, por estarmos salvos, desejamos ser instrumentos de trazer outros a Jesus. Gostaria de incentivar vocês todos a auxiliarem nesta boa obra; homens velhos, homens jovens, irmãos e irmãs, de acordo com seus dons e experiência, ajudem. Desejo que cada um de vocês sinta: "Eu não posso fazer muito, mas posso auxiliar; não posso pregar, mas posso auxiliar; não posso orar em público, mas posso auxiliar; não posso dar muito dinheiro, mas posso auxiliar; não posso oficiar como presbítero ou diácono, mas posso auxiliar; não posso resplandecer como uma 'estrela particularmente brilhante', mas posso auxiliar; não posso posicionar-me sozinho para servir meu Mestre, mas posso auxiliar". Um antigo puritano pregou certa vez um sermão muito singular; havia apenas duas palavras no texto, e eram "e Bartolomeu". A razão pela qual ele usou esse texto foi que, no Evangelho, o nome de Bartolomeu nunca é mencionado sozinho, ele está sempre associado a um dos outros apóstolos. Ele nunca é o ator principal, mas sempre o secundário. Que esse seja seu sentimento; que você, se não puder fazer tudo sozinho, ajude a fazer o que puder.

Quando reúno minha congregação, vejo a assembleia como uma reunião de conselho, para conceder condecorações a tais discípulos que, por meio de muitas sessões de labor, as tenham merecido. E, então, sinto que podemos conferir aos que aproveitaram bem as oportunidades o sagrado título de "Auxílio". Alguns de vocês já há muito conquistaram esse nome honroso. Outros o receberão quando merecerem; assim, apresse-se e o obtenha. Deus conceda que seja sua alegria entrar no Céu louvando-O, porque, por Sua graça, Ele o auxiliou a ser um auxílio aos outros!

CAPÍTULO 5

CRISTÃO E OS DARDOS DE BELZEBU

Quando Cristão estava quase passando [pela porta estreita], Boa-Vontade puxou-o para dentro.

CRISTÃO: Que é isso?
BOA-VONTADE: Aqui perto foi erguido um grande castelo, cujo capitão é Belzebu. Tanto ele quanto os que o seguem atiram dardos contra os que tentam chegar a esta porta, procurando matá-los antes que consigam entrar.
CRISTÃO: Oh! Temo pelo risco de morte, mas regozijo-me pelo livramento.

Nessa passagem, Bunyan alude ao fato de que, quando estão à beira da salvação, as almas são geralmente atacadas pelas mais violentas tentações. Talvez eu fale com alguns que estão agora nessa condição. Estão buscando o Salvador, começaram a orar, estão ansiosos para crer no Senhor Jesus Cristo; contudo, têm se deparado com dificuldades tais quais nunca antes conheceram e estão quase no fim de suas esperanças. Talvez os ajude se descrevermos alguns dos dardos que foram disparados contra nós quando chegamos ao portão, pois pode ser que as setas que estão sendo disparadas contra eles sejam do mesmo tipo.

O dardo mais comum é este: *o dardo inflamado da lembrança de nossos pecados*. "Ah!", diz o arqui-inimigo, "não é possível que tais pecados como os seus possam ser apagados. Pense no número de suas transgressões, no quanto se desviou desde seu nascimento, em como você perseverou em pecar, em como tem pecado contra a luz e o conhecimento, contra os convites mais graciosos e as ameaças mais terríveis. Você fez isso apesar do Espírito da Graça, pisou o sangue de Cristo. Como pode haver perdão para você?".

A alma atingida, esmagada pelo senso de pecado, naturalmente endossa essas insinuações. "É verdade", diz ela, "embora seja Satanás quem está dizendo; eu sou um pecador tal como ele descreve". A seguir, a pobre alma temerá o perdão não ser possível para tal infrator; e, provavelmente, ela pensa em alguns dos pecados grosseiros que cometeu: o blasfemo relembra sua profanação, o impudico lembra-se de sua lascívia e Satanás sussurra em seu ouvido: "Se não houvesses cometido aquele pecado em particular, poderia ter havido esperança para ti, mas aquela transgressão levou-te para além da esperança. Agora és como o homem na gaiola de ferro; o desespero apossou-se de ti, e para ti agora não há libertação". Pobre coração! Há muitas passagens das Escrituras que devem ser suficientes para quebrar ou embotar todas essas setas inflamadas do maligno. Estas, por exemplo: "O sangue de Jesus Cristo, seu Filho, nos purifica de todo o pecado"[40]; "Todo o pecado e blasfêmia

---

40   1Jo 1.7. (N.T.)

se perdoará aos homens"[41]; "O que vem a mim de maneira nenhuma o lançarei fora"[42]. Deus conceda que elas sejam eficazes no seu caso!

Algumas vezes, outra tentação satânica atinge o pecador, como um tiro de flecha com a antiga besta[43]. É esta: "É tarde demais para você ser salvo. Recebeu muitos convites do Evangelho quando era jovem, faltou pouco para ser persuadido a se fazer cristão[44] enquanto estava ainda na juventude; mas por tanto tempo você titubeou entre duas opiniões que, por fim, o Senhor levantou a mão e jurou em sua ira que você não entraria no descanso Dele. Você está, portanto, fora de qualquer esperança". Há muitos que, por anos, têm estado sobrecarregados com esse terrível medo; e há alguns que parecem ser como os prisioneiros da condenada cela em Newgate, que podiam ouvir o grande sino da igreja *Saint Sepulcher* soar sua badalada da morte[45]. No entanto, não há uma palavra de verdade nessas insinuações de Satanás; pois, enquanto o homem estiver no mundo, se ele se arrepender dos pecados e crer em Jesus Cristo, será perdoado. Houve muitos pecadores salvos bem no final da vida, como foi o ladrão arrependido. Muitos foram trazidos a Cristo e foram comissionados a trabalhar em Sua vinha mesmo na décima primeira hora do dia. Em nenhum lugar é citado, nas Escrituras, que Deus dirá a qualquer homem que verdadeiramente se arrepende que Ele não vai recebê-lo. Não há limitação de idade naquele texto que mencionei há

---

41   Mt 12.31. (N.T.)
42   Jo 6.37. (N.T.)
43   Arma antiga. (N.T.)
44   Cf. At 26.28. (N.T.)
45   Todos vocês, que aguardam na condenada furna,
     Preparem-se, pois amanhã hão de morrer;
     Vigiem e orem, a hora se aproxima,
     Para diante do Deus Todo-poderoso comparecer.
     Examinem-se bem, a tempo de arrependimento,
     Para que não sejam enviados às eternas chamas,
     E, quando tocar o sino do Sepulcro Santo,
     Que o Senhor do alto tenha piedade dessas almas.

   Na Londres do século XVIII, esse conselho era proclamado pelo sacristão da igreja *Saint Sepulcher* [Santo Sepulcro], ao condenado na prisão de Newgate, na véspera de sua morte. Doze vezes o sino soava durante a meia-noite, a "badalada da morte". (N.T.)

pouco: "O que vem a Mim de maneira nenhuma o lançarei fora". Se um homem tiver noventa anos de idade e vier a Cristo, ele não será lançado fora. Sim, e se ele fosse tão velho quanto Matusalém e viesse a Cristo, a promessa ainda seria válida

Quando esse medo desaparece, é muitas vezes seguido por outro. Satanás diz: "De fato, pode não ser tarde demais devido à idade, mas você resistiu ao Espírito Santo; abafou a consciência; frequentemente, quando faltava pouco para ser persuadido a se fazer cristão, você disse: 'Por agora vai-te, e em tendo oportunidade te chamarei[46]". "Além disso", o inimigo pode dizer, "você foi outrora tão religioso exteriormente, que todos pensavam que fosse um cristão, e você mesmo pensava assim. Costumava ensinar na escola dominical e, às vezes, pregava; mas você sabe onde tem estado e como tem agido desde então. Você voltou, como o cão a seu próprio vômito e como a porca lavada que voltou a revolver-se no lamaça[47]; por isso, agora não há esperança para você. Pode bater no portão da Misericórdia, mas não lhe será aberto". Agora, queridos amigos, por mais afiado que seja esse dardo e bem direcionado como costuma ser, não há força real nele. Se Cristo nunca recebesse aqueles que uma vez o rejeitaram, Ele nunca teria recebido qualquer um de nós, pois alguns de nós recusamos Seus convites e abafamos as admoestações da consciência milhares de vezes, contudo, quando chegamos a Jesus, Ele nos recebeu graciosamente e nos amou gratuitamente. Sim, amado, e se você vem a Ele depois de ter rejeitado dez mil convites, se confia Nele depois de todas as suas oposições ao Espírito de Deus, você de modo algum será lançado fora.

Muitas almas sobrecarregadas têm estado grandemente preocupadas quanto à doutrina da eleição. É parte da astúcia de Satanás tomar uma verdade mais preciosa que o ouro fino e transformá-la em uma pedra de tropeço no caminho do pecador que está vindo para Cristo.

---

46   At 24.25. (N.T.)
47   Cf. 2Pe 2.22, ARA. (N.T.)

A doutrina da eleição é como um diamante pelo brilhantismo; mas o diabo sabe como usar suas bordas afiadas para lastimavelmente ferir muitos pobres pecadores. "Você não é eleito", diz Satanás, "você nunca foi escolhido por Deus, seu nome não está no Livro da Vida do Cordeiro". Quão facilmente o pecador poderia responder ao acusador se ele tão somente estivesse em seu pleno juízo!

Ele pode dizer: "Como você sabe que não sou eleito e que meu nome não está presente no Livro da Vida? Deus nunca lhe deu autoridade para transmitir-me essa penosa notícia, portanto não devo angustiar-me com isso". Por que devemos permitir um medo como esse afastar-nos de Cristo, quando não permitimos que ele nos afaste de outras ações? Um homem está muito doente e a esposa diz que buscará um médico. "Não, minha querida esposa", diz ele, "não adianta buscar um médico, pois temo que esteja predestinado a morrer". Temos, então, um homem que está viajando e, subitamente, corre o risco de um acidente. Obviamente, ele se esforça para escapar; mas, se falasse como alguns fazem com assuntos espirituais, diria: "Não sei se fui destinado a escapar ou não e, portanto, não tentarei". Será que um marinheiro naufragado desiste de nadar por não saber se chegará à terra? Você desiste de trabalhar por não saber se terá seu salário? Deixa de comer por não saber se lhe está determinado viver outro dia? Você se recusa a dormir por não saber se está decretado que acorde de novo? Claro que não, mas você trata dos assuntos da vida independentemente de quaisquer pensamentos sobre o decreto Divino, e, dessa maneira, o decreto Divino é realizado em você. Na Palavra de Deus, é dito que você creia no Senhor Jesus Cristo; e vou dizer-lhe uma coisa, que é: se você crer em Cristo, essa é a prova positiva de que é um dos eleitos e de que seu nome está no Livro da Vida. Eu nunca vi esse Livro, mas sei que alma nenhuma jamais creu em Jesus sem que seu nome estivesse ali registrado. Se tu vens a Cristo, arrependendo-te de teu pecado, sei que Deus escolheu-te para a vida eterna, para o arrependimento no dom de Deus, e isso é um sinal de Seu eterno amor. Ele diz:

"Com amor eterno te amei, por isso com benignidade te atraí"[48]. Deus nos atrai ao arrependimento e fé pelos laços de Seu amor, porque Ele nos amou desde a eternidade. Portanto, não deixe que a bendita palavra "eleição" jamais o incomode. O dia virá em que você dançará ao som dela; e, então, nada encherá seu coração com igual música como o pensamento de que o Senhor escolheu-o antes da fundação do mundo, para ser objeto de Sua graça especial.

Outra das setas inflamadas do diabo é a seguinte: "Você cometeu o pecado imperdoável". Ah! esse dardo atormenta muitos corações, e é muito difícil lidar com tais casos. O único modo pelo qual argumento com uma pessoa assim atacada é dizer: "Estou bem certo de que, se você deseja a salvação, não cometeu o pecado imperdoável, e estou absolutamente certo de que, se vier agora e confiar em Cristo, não cometeu esse pecado, pois toda alma que confia em Cristo é perdoada, de acordo com a Palavra de Deus, e, portanto, você não pode ter cometido esse pecado". Ninguém sabe o que é esse pecado. Creio que nem mesmo a Palavra de Deus nos diga, e é muito apropriado que não o faça. Como já disse com frequência, é como o aviso que, algumas vezes, vemos: "Armadilhas para homens e armas de disparo automático montadas aqui"[49]. Não sabemos onde estão as armadilhas e as armas, mas não temos de maneira alguma de ir além dos limites. Assim, "há pecado para morte"[50]; não nos é dito que pecado é esse, mas não temos nada que ultrapassar os limites de absolutamente nenhuma transgressão. Esse "pecado para morte" pode ser diferente em pessoas diferentes; mas, quem o comete, desde o momento do ato, perde todos seus desejos espirituais. Ele não almeja ser salvo, não se importa em se arrepender, não suspira por seguir a Cristo; tão pavorosa é a morte espiritual que vem sobre o homem que o

---

48 Jr 31.3. (N.T.)
49 A partir do final do século XVIII, placas de avisos como esses eram comuns ao redor das propriedades. Mas a utilização de recursos com potencial de aleijar ou matar foram oficialmente proibidos na Inglaterra em 1827. (N.T.)
50 1Jo 5.16. (N.T.)

tenha cometido, que ele nunca anseia pela vida eterna. Não precisamos orar por um caso como esse; o apóstolo João diz: "Por esse não digo que ore"[51]. Eu já me deparei com alguns poucos casos nos quais havia uma indiferença tão impassível a todas as coisas divinas, ou tamanho desdém zombeteiro e escarnecedor de todas as coisas espirituais, que, embora orasse pelo pior de todos os pecadores, eu sentia: "Não posso orar por esse homem". Mas nenhum de vocês está nessa condição se anseia por misericórdia; se você odeia o pecado e busca escapar dele, aquele pecado para a morte não foi cometido por você.

Há outros que são perturbados com a tentação de que seria presunção da parte deles confiar em Cristo. Essa é outra mentira de Satanás, pois jamais pode ser presunção um homem fazer o que a Palavra de Deus lhe diz para fazer. Se o Senhor Jesus Cristo fala para um homem confiar Nele, deve ser obrigação do homem fazê-lo; e, consequentemente, não pode ser presunção. Presunção é dizer: "Ó Senhor, Tu me disseste para confiar em Ti, mas eu temo não poder fazê-lo". Isso é presunção do pior tipo possível. "Não consigo arrepender-me como gostaria", diz um deles. Quem fez de você um juiz de seu próprio arrependimento? É-lhe dito para você confiar no que Cristo fez. "Mas eu não consigo orar como gostaria." Quem disse que era para você confiar em suas orações? Você deve apoiar-se no que Cristo fez por você, e não no que você pode fazer por si mesmo. "Mas, se eu conseguisse entrar em um estado mental melhor, então teria esperança." Quem disse que era para você entrar em um estado mental melhor e depois vir a Cristo? A mensagem do Evangelho é: "Venha exatamente como está, pobre pecador, e lance-se sobre Cristo, repousando por inteiro sobre a pessoa, o sangue, a justiça do outrora crucificado, mas agora exaltado Redentor". Não é presunção fazeres isso. Ninguém jamais conseguiu chegar ao Céu por presunção, mas incontáveis milhões entraram lá por confiar em Cristo, e você será um deles, se tão somente confiar Nele, e Nele apenas.

---

51   Idem. (N.T.)

Além de todas essas setas inflamadas que mencionei, há muitas insinuações indefiníveis que Satanás lança ao coração dos homens quando estão vindo para Cristo. Eu dificilmente iria querer contar-lhe quais são elas; pois eu poderia, ao lhe contar, realmente fazer o trabalho do diabo; mas esta pode servir como uma amostra. Homens, e mulheres também, algumas vezes sofrem tamanha aflição de alma, que são tentados à autodestruição. Houve casos em que quase cometeram esse terrível crime; mas, bem no último minuto, houve uma Boa-Vontade para estender a mão e puxá-los para dentro da porta da misericórdia. "Ah!", pensa Satanás, "se eu tão somente pudesse conseguir que alguém do povo eleito de Deus destruísse a si mesmo antes de crer em Jesus, eu seria capaz de gabar-me disso para sempre". Sim, mas ele nunca o fez e nunca o fará. Se tu, meu amigo, fores alguma vez tentado a cometer esse pecado, podes muito bem dizer: "Que bem eu poderia obter me destruindo? Quê! 'Pular da panela para o fogo', como diz o velho provérbio. Para escapar de meus pecados, devo me apressar, com as mãos sujas de sangue, para diante do tribunal de meu Criador?". Não existe insanidade como essa. Estás com tamanha pressa de morrer, e com tanta pressa de cercar-te com chamas que não se apagam? Oh, não penses nisso; mas volta-te para Jesus, pois ainda há esperança, mesmo para ti, e se somente te lançares sobre Ele, terás gozo e paz no crer[52].

---

52   Cf. Rm 15.13, ARA. (N.T.)

CAPÍTULO 6

CRISTÃO DIANTE DA CRUZ

Continuei sonhando e vi que a estrada pela qual Cristão haveria de caminhar estava cercada por um muro de ambos os lados, o qual chamava-se Salvação (Is 26.1). O sobrecarregado Cristão correu pelo caminho, mas não com pouca dificuldade, por causa do fardo que ainda carregava.

Correu até chegar a um lugar íngreme, onde havia uma cruz e, mais abaixo, um sepulcro.

Uma voz disse: "Fuja, fuja para o Calvário!". Contudo, a voz dele tremeu, pois dizia consigo mesmo: "Por que eu iria para lá? Pois ali meu pecado mais sombrio foi cometido; ali eu assassinei o Salvador pelas minhas transgressões". Mas a Misericórdia acenou, chamando: "Venha, venha cá, pobre pecador!". E o pecador a seguiu. As correntes estavam em suas pernas e mãos, mas ele se arrastou o melhor que pôde, até chegar ao pé do monte chamado Calvário, no cume do qual viu uma cruz. Ó pecador, queria que te colocasses aos pés da cruz e pensasses em Jesus até poderes encontrar conforto! Creio que o caminho mais curto para a fé é considerar bem o objeto da fé. A verdadeira maneira de obter conforto não é tentar confortar-se longe da cruz, mas pensar em Cristo morrendo por você, até ser consolado; dizer à sua alma: "Jamais me retirarei da cruz até estar lavado nesse precioso sangue:

> Bendito Salvador, a Teus pés me deito,
> Aqui estou, para receber cura ou morrer;
> Mas a graça impede esse doloroso medo,
> Poderosa graça, que aqui triunfa.

Ao que foi mordido pelo pecado, a cura vem de olhar para a serpente, não de olhar para as próprias feridas nem ainda de ouvir sobre a cura dos outros. E, da mesma forma, a cura chegará a você não por olhar para o pecado nem por ouvir falar de Cristo, mas sim por fixar os olhos de sua mente na cruz e meditar sobre Aquele que nela morreu, até que, à medida que Lhe considera os méritos, você crê Nele e, assim, é salvo.

> Então, vi em meu sonho que, ao aproximar-se da cruz, o fardo de Cristão se afrouxou de seus ombros, caiu ao chão e rolou até a entrada do sepulcro, onde tombou e desapareceu."

O Peregrino nunca teve alívio de seu fardo até chegar aos pés da cruz, e ali ele o perdeu para sempre. Bunyan não pensava nisso como o símbolo papista, agora tão comumente reverenciado; ele não respeitava tais bugigangas e idolatrias. Ele quis dizer que uma alma sobrecarregada não encontra paz até que confie no Sacrifício expiatório de Jesus. O pecado deve ser punido; a consciência sabe disso e faz o pecador tremer.

Jesus foi punido em lugar daqueles que confiam Nele, o crente sabe disso e sente que está, de forma justa, seguro de futuras penalidades; sua consciência descansa e seu coração se regozija. Se Jesus carregou a penalidade da lei para mim, então Deus é justo e, ainda assim, eu estou salvo. Duas punições por uma ofensa não podem ser exigidas pela justiça; o Jesus sofredor impede a possibilidade de serem condenados aqueles por quem Ele morreu como substituto. Nas feridas de Jesus há descanso para as consciências cansadas, e em nenhum outro lugar. Aqueles que confiam no mérito de Sua expiação são salvos da ira por meio Dele. Quando o dr. Neale, o eminente ritualista, romanizou *O peregrino*, representou o peregrino chegando a um certo banho, no qual foi mergulhado, e ali seu fardo foi lavado embora. De acordo com essa edição adulterada da alegoria, Cristão foi lavado na bacia de batismo, e todos seus pecados foram, assim, removidos. Esse é o modo da Alta Igreja livrar-se do pecado. A verdadeira maneira de perdê-lo é na cruz. Agora, note o que aconteceu. De acordo com *O peregrino* de dr. Neale, o fardo cresceu novamente nas costas do peregrino. Isso não me espanta; pois um fardo que o batismo pode remover certamente voltará, mas o fardo que é perdido na cruz nunca mais aparece de novo.

Cristão alegrou-se, seu semblante iluminou-se, e disse, cheio de felicidade em seu coração: "Ele me concedeu alívio pelo seu sofrimento, e vida pela sua morte". Cristão ficou parado por um momento, observando e refletindo, pois fora para ele uma grande surpresa que a visão da cruz o tivesse libertado do pesado fardo. Ele olhou uma e mais outra vez, até que a alegria de seu espírito se transformou em lágrimas em seu rosto (Zc 12.10).

Que os pecadores despertos fiquem atentos ao receber conforto daqueles que depreciam o arrependimento. Ele não é, afinal de contas, pouca coisa. Eles nos dizem: "Trata-se só de uma mudança de mente".

Mas que mudança de mente! As palavras não soam grandes o suficiente, mas o arrependimento em si não é ninharia. Eles nos dizem que o arrependimento não implica necessariamente tristeza pelo pecado; mas nós os advertimos solenemente, e aos demais a quem possa interessar, que, se o arrependimento deles não traz pesar pela ofensa, não é arrependimento segundo a qualidade divina, e é dessa forma que será preciso arrepender-se. Um arrependimento de olhos secos não é arrependimento. Aqueles que se voltam para o Senhor corretamente pranteiam sobre o pecado e choram "amargamente por ele, como se chora amargamente pelo primogênito"[53]. É a partir da cruz que surgem tanto o arrependimento quanto a fé. Não trazemos essas graças à cruz, mas nós as encontramos na cruz. São símbolos do amor de Jesus. Quando Ele nasce em nós como o Sol da Justiça, esses são Seus primeiros raios. Oh, que todos os pobres pecadores venham e se sentem ao brilho desse Sol.

Quando penso em minhas transgressões, mais conhecidas por mim do que por qualquer outra pessoa, e lembro também que não são conhecidas nem mesmo por mim como o são por Deus, sinto que toda esperança se esvai e minha alma é deixada em absoluto desespero, até que eu chego de novo à cruz e reflito em quem foi que morreu ali e em quais desígnios de infinita misericórdia são respondidos por Sua morte. É tão doce olhar novamente para o Crucificado e dizer: "Não tenho nada senão a Ti, meu Senhor, nenhuma confiança além de Ti. Se não fores aceito como meu substituto, devo perecer; se o Salvador designado por Deus não for suficiente, não tenho a nenhum outro; mas sei que Tu és o bem-amado do Pai, e sou aceito em Ti. Tu és tudo o que tenho ou que desejo".

Amado, acho que você sabe, por sua própria experiência, que a morte de Cristo foi, de fato, o que mais operou sobre você no que tange

---

[53] Zc 12.10. (N.T.)

à sua conversão. Ouço muita conversa acerca do exemplo de Cristo tendo grande efeito sobre os homens bons; mas não creio nisso e certamente nunca o vi. Isso tem grande efeito sobre os homens quando eles nascem de novo, são salvos da ira vindoura e estão cheios de gratidão por causa disso; mas, antes que isso aconteça, sabemos que os homens admiram a conduta de Cristo e até escrevem livros sobre a beleza de Seu caráter, enquanto, ao mesmo tempo, negam-Lhe a Divindade. Dessa forma, eles O rejeitaram em Seu caráter essencial, e não houve efeito nenhum produzido sobre a conduta deles pela admiração fria de Sua vida. Mas, quando chega a ver que é perdoado e salvo por meio da morte de Jesus, o homem é levado à gratidão e, então, ao amor. "Nós o amamos a ele porque ele nos amou primeiro."[54] Aquele amor que Ele demonstrou em Sua morte tocou no cerne de nosso ser e nos moveu com uma paixão à qual éramos antes estranhos; e, por isso, odiamos os pecados, que outrora eram doces, e voltamos de todo o coração à obediência, que outrora era tão desagradável. Há mais efeito na fé no sangue de Cristo para mudar o caráter humano do que há em qualquer outra consideração. Uma vez vista a cruz, o pecado é crucificado; uma vez que compreendamos como a paixão do Mestre foi suportada por nós, sentimos, então, que não somos de nós mesmos, mas fomos comprados por um preço. Essa percepção do amor redentor, na morte de nosso Senhor Jesus, faz toda a diferença: isso nos prepara para a melhor e mais elevada vida que jamais conhecemos antes. É Sua morte que faz isso.

> Ali permaneceu parado e chorando, quando três Seres Reluzentes o saudaram com: "Paz seja contigo". O primeiro lhe disse: "Teus pecados estão perdoados" (Mc 2.5); o segundo tirou dele os trapos que vestia e o cobriu com novas vestes (Zc 3.4); o

---

54   1Jo 4.19. (N.T.)

terceiro lhe marcou a fronte e deu-lhe um rolo selado, ordenando que o observasse enquanto corria e o entregasse ao chegar no Portão Celestial (Ef 1.13). Então, seguiram caminho.
[...]
Cristão deu três saltos de alegria e prosseguiu cantando:

"Caminhei lonjuras carregando o meu pecado,
Nada me fazia ter o peso aliviado.
Mas aqui, enfim, cheguei, que suprema surpresa!
Será este o fim de todo o sofrimento e tristeza?
Estarei eternamente liberto desse fardo?
O laço que a ele me prendia é desatado?
Bendita seja a cruz, bendito o sepulcro
Bendito o Homem que a vergonha por mim tomou!"

Imagine a experiência de algum amigo querido, que acabou de crer em Jesus, e a quem o Espírito de Deus testemunha que está perdoado. Que tipo de homem será ele? Vou tentar retratá-lo para você. Já vejo seus olhos refletindo uma luz que jamais vira antes ali. O homem parece positivamente belo; você mal o reconheceria se o conhecesse antes dessa grande mudança ter-lhe acontecido. Ele outrora tinha um fardo em sua mente que o fazia parecer sempre exaurido pela preocupação. Isso acabou, e agora ele parece extremamente abençoado. Mas também vejo lágrimas nos olhos dele; como chegaram ali? Não era ele que dificilmente chorava em tempos passados? Ele está sofrendo de pensar que alguma vez ofendeu a um Deus tão amável; pois nada nos faz lamentar tanto o pecado quanto a sensação de ser completamente perdoado. Ele sabe que está perdoado, tem certeza disso; sabe que Deus o ama, e agora ele se detesta por ter afundado tão baixo. Contudo, se você tomar uma dessas lágrimas e colocá-la sob um microscópio, ou analisar-lhe os componentes, descobrirá que não há amargura alguma nela. A alegria está misturada com tristeza, enquanto ele fica diante da cruz e banha os pés de seu Senhor com suas lágrimas de penitência, embora refletindo o arco-íris. Agora, vejo-o indo para casa. Ele tem alguns amigos cristãos lá, eu espero; e, se assim for, não passará muito tempo com eles antes que comecem a notar a mudança nele, e não passará muito tempo antes que ele queira lhes contar o bendito segredo. A mãe quer saber o que aconteceu com seu filho, e os braços dele rodeiam-lhe o pescoço, enquanto diz: "Mãe, eu encontrei o Senhor". Ela está muito encantada, e talvez muito surpresa, pois não era seu modo usual de falar sobre religião; ele costumava desdenhar e escarnecer dessas coisas. Ele vai dormir sem orar? Não; ele não precisa de ninguém para lhe dizer que ore; ele tem orado pelo caminho todo até em casa, e enquanto está sentado ali. Essas são as primeiras orações de verdade que já apresentou; mas agora tornou-se tão natural para ele orar como é para um homem vivo respirar.

O momento em que os cristãos começam a cantar nos caminhos do Senhor é quando abandonam seu fardo aos pés da Cruz. Nem mesmo as canções dos anjos parecem tão doces quanto a primeira canção de arrebatamento que jorra a partir do íntimo da alma do filho de Deus que foi perdoado. É compreensível o pobre Peregrino, depois de haver perdido seu fardo, ter dado três grandes saltos de alegria e prosseguido cantando:

Bendita seja a cruz, bendito o sepulcro
E o Homem que o tomou por mim. Oh, que imenso lucro!"

Crente, você se lembra do dia em que seus grilhões caíram? Lembra do lugar onde Jesus encontrou-o e disse: "Com amor eterno te amei"; "Apaguei as tuas transgressões como a névoa, e os teus pecados como a nuvem"; eles não serão mais mencionados contra ti[55]? Oh! que tempo

---
55   Jr 31.3; Is 44.22; cf. Is 43.25. (N.T.)

doce é esse, quando Jesus tira a dor do pecado. Logo que o Senhor perdoou meu pecado, eu fiquei tão feliz que mal pude me refrear de dançar. Pensei, durante meu trajeto do lugar onde me haviam posto em liberdade até minha casa, que eu devia contar às pedras da rua a história da minha libertação. Tão cheia estava minha alma de alegria, que eu queria contar a cada floco de neve caindo do Céu sobre o maravilhoso amor de Jesus, que apagara os pecados de um dos chefes dos rebeldes. Aquele dia feliz, quando encontrei o Salvador e aprendi a me lançar a Seus queridos pés, foi um dia que jamais será esquecido por mim. Posso testemunhar que a alegria daquele dia foi totalmente indescritível. Não haveria expressão, por mais fanática que fosse, que destoasse da alegria em meu espírito naquela hora. Muitos dias de experiência cristã passaram-se desde então, mas jamais houve um que tenha tido toda a euforia, o cintilante deleite que o primeiro dia teve. Achei que eu pudesse saltar do assento em que estava e gritar como o mais selvagem dos irmãos metodistas ali presentes: "Estou perdoado! Estou perdoado! Um monumento da graça! Um pecador salvo pelo sangue". Meu espírito viu suas correntes se partirem em pedaços, senti que eu era uma alma emancipada, um herdeiro do céu, perdoado, aceito em Jesus, arrancado do lodo lamacento e do horrível abismo, com os pés apoiados em uma rocha e meus passos estabelecidos. Consegui entender o que John Bunyan quis dizer ao declarar que teve vontade de contar aos corvos na terra arada tudo sobre sua conversão.

Ouvi um cristão dizer que, quando encontrou o Salvador, ficou tão feliz que não teve como se conter e cantou feito uma banda inteira:

> Que dia feliz! Que dia feliz!
> Quando Jesus, meus pecados levou![56]

---

56 Tradução livre de trecho de *O happy day, that fixed my choice* (1755), de Philip Doddridge. (N.T.)

É o privilégio dos verdadeiros crentes ficar "cantando o tempo todo"[57]. A alegria em Deus fica bem à nossa condição.

> Por que deveriam os filhos de um Rei
> Ficar lamentando todos os dias?[58]

A alegria no Senhor é mais prejudicial ao império de Satanás do que qualquer coisa. Eu sou do mesmo parecer que Lutero, que, quando ouvia qualquer má notícia, costumava dizer: "Venha, vamos cantar um salmo e envergonhar o diabo".

"E cantarão os caminhos do Senhor."[59] Quando os caminhos ficam muito árduos e se tornam estradas de sofrimento, e as dores são frequentes e intensas, cante, ainda assim. Nenhuma música que sobe ao trono de Deus é mais doce aos ouvidos de Jeová do que a canção dos santos sofredores. Eles O bendirão em seu leito e cantarão Seus altos louvores no fogo. Seguir direto pelo Vale da Sombra da Morte e cantar durante todo o caminho; escalar a Montanha Dificuldade e cantar subindo seus rochedos; passar pelo carrancudo Gigante, até pelo Castelo do Gigante Desespero e pelo Terreno Encantado e se manter cantando, e chegar à margem do Rio e descer para dentro dele ainda cantando – isso é maravilhoso em um cristão. Que os estatutos do Senhor sejam nossos cânticos na casa de nossa peregrinação, até que subamos para cantar no alto!

Devemos tudo ao Jesus crucificado. Qual é sua vida, meus irmãos, senão a cruz? De onde vem o pão de sua alma, senão da cruz? Qual é sua alegria senão a cruz? Qual é o seu prazer, qual é seu céu, senão o

---

[57] Muito provavelmente seja uma referência ao hino de Edward P. Hammond *I feel like singing all the time* (1865), do qual Spurgeon gostava muito e o qual citou com frequência em seus sermões. (N.T.)
[58] Primeiras linhas de um hino de Isaac Watts (1674–1748), *Why should the children of a King*. (N.T.)
[59] Sl 138.5. (N.T.)

Bendito, aquele uma vez crucificado por você, que vive para interceder por você? Agarre-se à cruz, então, coloque os dois braços em volta dela! Segure-se firme no Crucificado e jamais O deixe partir. Venha de novo à cruz neste momento e descanse ali agora e sempre! Então, com o poder de Deus repousando sobre você, saia e pregue a cruz! Conte a história do Cordeiro sangrando. Repita a maravilhosa história e nada mais. Não importa como o faça, apenas proclame que Jesus morreu pelo pecador. A cruz erguida pela mão de um bebê é tão poderosa quanto se um gigante a segurasse. O poder está na própria palavra, ou melhor, no Espírito Santo que trabalha por ela e com ela.

Ó Cristo glorioso, quando tive uma visão de Tua cruz, eu a vi, inicialmente, como um madeiro de morte comum, e Tu estavas pendurado nela como um criminoso; mas, enquanto olhava, eu a vi começar a elevar-se e se sobressair até atingir o mais alto dos céus, e, pelo seu grande poder, erguer miríades ao trono de Deus. Vi seus braços se estenderem e se expandirem até abraçarem toda a terra. Vi o pé dela afundar-se tão profundamente quanto estão nossas misérias mais desesperadoras; e que visão já tive de Tua grandeza, ó Tu, Crucificado!

Irmãos, creiam no poder da cruz para a conversão das pessoas a seu redor. Não diga a homem nenhum que ele não pode ser salvo. O sangue de Jesus é onipotente. Não diga a distrito nenhum que ele está afundado demais, ou a qualquer classe de homens que eles foram longe demais: a palavra da cruz reclama os perdidos. Creia que ela é o poder de Deus, e você a descobrirá como tal. Creia em Cristo crucificado e pregue corajosamente em Seu nome, e você verá coisas grandes e alegres. Não duvide do triunfo final do cristianismo. Não deixe que uma desconfiança cruze sua alma. A cruz deve conquistar; ela deve florescer com uma coroa, uma coroa proporcionada à pessoa do Crucificado e à amargura de Sua agonia. A recompensa Dele compara-se às tristezas Dele. Confie em Deus e erga sua bandeira no alto, e agora, com salmos e cânticos, avance para a batalha, pois o Senhor dos Exércitos está conosco, o Filho do Altíssimo vai na vanguarda. Em frente, com um toque de trombeta de prata e gritos daqueles que tomam o despojo. Que coração nenhum fraqueje! Cristo morreu! A expiação está completa! Deus está satisfeito! A paz é proclamada! O céu brilha com provas de misericórdia já concedidas dez mil vezes dez mil! O inferno está tremendo, o céu está adorando, a terra está esperando. Avançai vós, santos, para a vitória certa! Vocês vencerão pelo sangue do Cordeiro.

CAPÍTULO 7

FORMALISTA E HIPOCRISIA

[Cristão viu] dois homens saltando por cima do muro à esquerda do caminho estreito, que aceleraram até alcançá-lo. O nome do primeiro era Formalista, e o do segundo era Hipocrisia. Como eu dizia, ambos se aproximaram de Cristão, que começou a dizer:

CRISTÃO: Cavalheiros, de onde vindes e para onde ides?

FORMALISTA E HIPOCRISIA: Nascemos na terra da Vanglória e vamos ao Monte Sião em busca de louvores.

CRISTÃO: Por que não entrastes pelo portão que fica no início da estrada? Não sabeis o que está escrito acerca disso? Que aquele que não entra pela porta, "mas sobe por outra parte, é ladrão e salteador?" (Jo 10.1)

FORMALISTA E HIPOCRISIA: A entrada da estrada fica muito distante para aqueles que vêm da nossa terra. Portanto, todos os que vêm de lá recorrem a um atalho e saltam por cima do muro, como têm feito.

CRISTÃO: Mas isso não conta como uma transgressão contra o Senhor da cidade na qual estamos agora, já que sua vontade revelada fora violada por vós?

FORMALISTA E HIPOCRISIA: Não precisas preocupar-te com isso. Estamos acostumados a fazê-lo, é quase uma tradição. Se necessário fosse, poderíamos reunir testemunhas que confirmariam tê-lo visto acontecer desde milhares de anos atrás.

Depois de ter estado aos pés da cruz, de ter se despojado de seus trapos e recebido uma muda de vestes, uma marca na testa e um rolo com um selo em cima, Cristão seguiu seu caminho, regozijando-se. Ele não havia ido muito longe antes de chegar a três homens profundamente adormecidos, com grilhões nos calcanhares. Esses eram Simples, Preguiça e Presunção. Cristão acordou-os e se ofereceu para ajudá-los a tirar os ferros; mas eles logo se deitaram novamente, e ele teve de ir sozinho. Enquanto se afligia ao pensar na indiferença deles, viu quando "dois homens saltaram por cima do muro à esquerda do caminho estreito". Possivelmente tinha havido alguns cultos de avivamento e, em uma reunião empolgante, aqueles dois homens, de repente, decidiram ser cristãos. Não se deram ao trabalho de obter verdadeiro arrependimento e uma fé viva no Salvador crucificado. Eles não se preocupavam com o verdadeiro trabalho do coração nem com as operações do Espírito Santo dentro deles; mas resolveram fazer a profissão de ser cristão e juntar-se à igreja. Pensavam que, como os cristãos usavam um certo estilo de casaco, eles deviam usar o mesmo, mas não estavam preocupados se o coração estava acertado com Deus ou não. Eles vieram saltando por cima do muro.

Bunyan diz que "eles caminharam em direção" a Cristão. Levara muito tempo para ele chegar onde estava, mas eles o alcançaram em um ou dois minutos. Nada parece crescer tão rápido quanto aqueles que não têm raíz e que, portanto, não estão realmente crescendo. Uma criança, com um sabão e um canudo de um tostão, logo sopra grandes bolhas, pintadas com muitas cores e brilhando de maneira bela; mas são só bolhas. Muito rapidamente são produzidas e muito rapidamente desaparecem. Cuidado para não criar uma religião falsa. Você pode facilmente pintar e texturizar um pedaço de madeira comum para que seja tido como carvalho ou sândalo; mas levaria muitos anos para cultivar o genuíno carvalho, e muitos meses para trazer a madeira de sândalo de terras distantes. Imitar uma coisa boa pode ser um trabalho rápido, mas não duradouro. Você, que logo alcança os cristãos mais antigos, lembre-se de que a sua experiência é pessoal, e não a que é aprendida nos livros ou obtida em uma reunião de troca de experiências. Quando não tem nada para carregar, o homem pode correr rapidamente. Tambores vazios produzem um alto som e riachos rasos fluem a altas velocidades. Assim, Formalista e Hipocrisia alcançam Cristão.

Não sei a que seita Formalista pertencia. Conheço o pai dele muito bem e ele teve vários filhos. Um deles costumava ir à Igreja da Inglaterra; de fato, dois ou três daquele ramo da família, que estavam muito felizes e confortáveis, sempre compareciam lá. Um ou dois deles passaram a ir um pouco mais longe do que a Igreja da Inglaterra, e chegaram a Roma, multiplicando cerimônias, vestidos espalhafatosos e não sei o que mais. Mas, se me lembro bem, um dos filhos foi um presbiteriano; ele não conseguia suportar nada de romanismo, mesmo assim era um grande defensor de todas as formalidades da Igreja da Escócia. Outro dos filhos juntou-se aos batistas, e um sujeito e tanto ele era, o mais ortodoxo possível. Ele sabia o que era o que na doutrina e cobrava o quilo com exatidão em cada grama, e um pouco mais. Lutava com unhas e dentes pela defesa do batismo dos crentes e da Ceia do Senhor. Não tenho muita certeza, mas, às vezes, temo que alguém da família de Formalista seja membro do Tabernáculo. Se não um dos filhos, talvez seja um neto que vem aqui. Existem muitos desse povo por aí, e não devemos nos surpreender se algum deles vier até nós.

"Oh!", dizem eles, "vamos tentar ser cristãos; e, a fim de sermos cristãos, existem tais e tais ações exteriores a serem executadas. Participaremos da reunião de oração; iremos às escolas bíblicas; veremos os presbíteros; seremos batizados; nós nos juntaremos à igreja; e, quando tivermos feito tudo isso, certamente teremos entrado no caminho certo. Não recebemos, por assim dizer, o certificado da própria Igreja de Deus de que estamos bem? É verdade que saltamos por cima do muro; não fomos humilhados por causa do pecado; não colocamos nossa confiança no Senhor Jesus Cristo; ainda assim, estamos no caminho certo; não dizem todos que estamos? Portanto, tudo deve estar bem conosco". Tal era Formalista.

Hipocrisia, no entanto, era o maior embusteiro dos dois, pois ele não tinha absolutamente nenhuma crença no assunto. Formalista tinha, talvez, alguma medida de fé de um certo tipo; ele pensava que poderia haver algo de bom em formas e cerimônias. Mas Hipocrisia dizia em seu coração: "Ah! é tudo uma bela história, mas também é uma história muito respeitável; e, se eu fingir acreditar, as pessoas vão pensar o melhor de mim". Recordo-me de um membro dessa família dizer: "Se eu me juntar à igreja, possivelmente consigo morar na casa de caridade". E outro refletir: "Muito provavelmente eu consiga obter uma pensão de uma semana". Outro pensou: "Seria algo importante entrar no ministério e, assim, obter um bom ganha-pão". E outro disse dentro de si: "Isso aumentaria meu comércio; as pessoas diriam: 'Ele vai a tal e tal capela, temos de negociar com ele, você sabe'".

Há uma família muito numerosa dessa classe; e há outros que não esperam, talvez, obter algum ganho pecuniário ao professar ser cristão, mas que sentem: "Bem, você vê, isso faz a pessoa parecer boa, ganhar o respeito e estima dos amigos, deixar a mãe satisfeita, o marido feliz; todos seus amigos se sentirão tão satisfeitos e farão tanto estardalhaço por você!". Assim, o homem segue adiante com isso, embora, em seu coração, diga: "Não há nada nisso; é tudo lixo". Ele salta por cima do muro; não se importa com o poder secreto da piedade vital. É suficiente para ele ter entrado na Igreja Cristã, e ali ele pretende permanecer. Às vezes ele diz que é tão bom quanto a maioria de nós; e, embora saiba que é o mais podre possível, ele se gaba sobre aquelas almas trêmulas, conquanto sinceras, que não conseguem falar tão loquazmente nem flamulam tantas cores no topo do mastro.

Bem, esses dois homens aceleraram até alcançar Cristão, e ele os saudou, pois não é dever do cristão desconfiar de qualquer um; e, quando encontra pessoas na estrada certa, ele deve tratá-las como se fossem sinceras, até que tenha prova do contrário. Se é a lei da Inglaterra que todo homem seja considerado honesto até que se prove ele ser um embusteiro, certamente essa deve ser a lei da Igreja Cristã. Assim, vendo-os no caminho estreito, em que há tão poucos viajantes, Cristão começou a lhes falar. Ele lhes perguntou de onde vinham e, então, responderam: "Nascemos na terra da Vanglória". Que é de onde todos os Formalistas e Hipócritas vêm. Eles se gloriam de si mesmos. Acham que seu próprio coração está certo. Concluem que sua bondade natural seja suficiente e, portanto, alguma aparência e uma profissão vazia lhes servirão no dia do juízo. Cristão também perguntou: "Para onde ides?". "Vamos", disseram, "ao Monte Sião em busca de louvores". Infeliz amor ao louvor! É uma armadilha condenabilíssima. Todos nós amamos louvores; é inútil negar isso. Já foi dito que

> Os orgulhosos, para conquistá-lo, labutam duro;
> Os modestos recusam-no, mas para garanti-lo.[60]

Todos nós, algumas vezes, estamos de olho nos elogios, e homem nenhum pode dizer que não os deseja em maior ou menor grau. Claro,

---

60   Trecho de poema de Edward Young (1683–1765). (N.T.)

não gostamos de lisonjas quando lançadas aos montes. Não queremos grandes nacos de manteiga em nosso pão, pois assim começamos a suspeitar que ela não é genuína. Todos nós somos capazes de receber uma quantidade considerável de louvor, mas é difícil permanecer em um estado saudável sob tais circunstâncias.

Esses dois homens estavam buscando a vanglória. Eles amavam o louvor dos homens mais do que o louvor de Deus. Irmãos, não fazemos nós boas ações, às vezes, pelo desejo de louvor? Eu estava pensando exatamente sobre esse assunto hoje. Assumi um certo dever do qual não gosto em especial. Eu sairia disso se me atrevesse, pois acho que não serei bem-sucedido, e isso ocupará grande parte do meu tempo e me dará grandes problemas. Mas, enquanto murmurava para mim mesmo sobre o quão estúpido fui me aventurando em uma tarefa tão ingrata, pensei: "Eu não receberei honra nem crédito por isso; mas, ainda assim, se eu o fizer com vistas à glória de Deus do começo ao fim, e sem consideração por mim, já basta". Se pegasse um trabalho difícil do qual eu gostasse e tivesse sucesso nele, todo mundo diria: "Ele fez bem do começo ao fim", e assim eu receberia o louvor aqui, embora não fosse ouvir o "muito bem![61]" quando chegasse a meu Mestre, no final. Mas, se eu empreender alguma coisa da qual a carne se encolhe, olhando unicamente para a glória de Deus, terei a doce satisfação de meu Senhor aprovar minha ação, vindo o que viesse dela.

Cuidado, eu lhe rogo, para não ir "ao Monte Sião em busca de louvores".

Em seguida, Cristão fez aos dois homens esta tão importante pergunta: "Por que não entrastes pelo portão que fica no início da estrada?". Ora, se houver qualquer um aqui dizendo para si mesmo: "Eu estou muito bem; sempre frequentei minha igreja paroquial, ou sempre fui à casa de reuniões"; se houver alguém aqui dizendo: "Eu estou muito

---

61   Cf. Mt 25.23 (N.T.)

bem, pois fui catequizado", ou: "Estou muito bem, pois fui batizado", eu lhe pergunto: "Por que não entrastes pelo portão que fica no início da estrada?". Como é que você não veio como Deus lhe disse que viesse, por uma fé viva no Salvador vivo; pelo arrependimento; pela confiança apoiada Naquele que, Ele apenas, é o Caminho, a Verdade e a Vida? Se você tem sido um membro de igreja não importa há quantos anos, é melhor desistir dessa posição do que deixar uma profissão religiosa ser a mortalha na qual o cadáver é envolvido. Tenha a vida divina dentro de si ou então, em nome de Deus, eu lhe suplico que não faça uma profissão que não possa de forma alguma adornar, mas que será a ruína de sua alma ao final!

Em resposta à pergunta de Cristão: "Por que não entrastes pelo portão?", Formalista e Hipocrisia deram uma razão que lhes parecia suficiente. "A entrada da estrada fica muito distante para aqueles que vêm da nossa terra. Portanto, todos os que vêm de lá recorrem a um atalho e saltam por cima do muro, como têm feito." Os Formalistas pensam: "Não nos importamos de ser batizados, confirmados, de receber o sacramento e de ir à igreja ou capela; mas esse arrependimento de pecado, essa crença, esse apego a Cristo, essa busca por santidade... Ah! é ir longe demais!". Eles preferem saltar por cima do muro. Eles clamam: "Paz, paz; quando não há paz"[62]. Espero que vocês, queridos amigos, não sejam tão tolos assim. É melhor nunca fazer tanto rodeio e estar certo, do que saltar apressadamente em uma conclusão falsa e se achar enganado. Além disso, não é "muito distante", no final das contas. O caminho seguro é, de fato, um caminho curto, e confiar em Cristo é o caminho direto para a vida eterna.

Cristão ainda perguntou muito apropriadamente àqueles homens como, se era uma transgressão contra Deus entrar na estrada sem vir

---

62　Jr 8.11. (N.T.)

pelo portão, eles esperavam ser aceitos. Se sem fé é impossível agradar a Deus, como você pode esperar agradá-Lo confiando em formas e cerimônias? Até suas orações são uma abominação para Deus, a menos que tenha vindo a Ele, por meio de Cristo, por misericórdia e perdão. Se você se apoia em sua leitura da Bíblia, em sua ida à capela ou à aula da escola dominical, se conta com qualquer coisa que você seja, faça ou sinta, estará apoiando-se naquilo que o abandonará no final. Você está, de fato, fazendo um anticristo dessas coisas e colocando-as no lugar de Jesus. Como pode estar certo no final, se está errado no início? Se você não entrar pela porta, tenha certeza de que nunca alcançará os portões do Paraíso.

Aqueles homens disseram a Cristão que ele não precisava se "preocupar com isso"; e essa é a resposta de muitos formalistas e hipócritas. Eles são mais difíceis de lidar do que os professos não convertidos. Os que não têm senso algum de religião geralmente ouvem o que você tem a dizer; enquanto aquelas outras pessoas, que sabem tanto e praticam tão pouco, lhe dizem para cuidar de sua vida, pois são tão boas quanto você. Se você alguma vez falar com um cristão genuíno desse modo, ele lhe será muito grato pela exortação a se examinar. O verdadeiro filho de Deus, quando estiver sob um ministério de averiguação, suportará a ferida e pedirá a Deus que ajude o ministro a sondá-lo. É um sinal de bom estado do coração quando você deseja ser sondado; mas é uma prova terrível de hipocrisia e formalismo quando diz aos outros: "Que cada homem mantenha a própria religião; você segue seu caminho e deixe-me no meu; ouso dizer que estou tão certo quanto você".

Esses homens ainda asseguraram a Cristão que esse era o costume por mais de mil anos. Nisso, falaram verdadeiramente. Os homens se apoiam em formas exteriores e, desde os tempos imortais, julgam-se algo quando não são nada. Alguém que andou com Cristo, e que até comeu do bocado molhado no mesmo prato que Ele, traiu-o. Sempre houve alguns "tendo forma de piedade, negando-lhes, entretanto, o poder"[63]. Os tais eram "manchas" nas festas solenes dos dias apostólicos. Eram "nuvens sem água, levadas pelos ventos de uma para outra parte; são como árvores murchas, infrutíferas, duas vezes mortas, desarraigadas"[64]. Ainda é assim. De fato, há venerabilíssimos precedentes para o formalismo e hipocrisia. Vá a Roma e verá uma abundância deles. Entre em um grande número de nossas igrejas paroquiais na Inglaterra e verá a formalidade em pane. Coloque o pé em nossos próprios lugares dissidentes de culto e, mesmo em nossa decente sobriedade, quanto pode haver de formalismo morto!

Lamentavelmente, essa é a religião de muitos cristãos professos por toda a terra! "Você não precisa se preocupar com fé ou aqueles outros assuntos pesados que dizem respeito à alma e a Deus; mas, se for a seu lugar de culto e tomar seu assento ali regularmente, estará tudo bem com você." Isso é falsa religião; que Deus nos salve disso! Que sejamos sinceros em nosso amor a Cristo e em nossa fé em Seu sacrifício expiatório!

---

63   2Tm 3.5, ARA. (N.T.)
64   Jd 1.12. (N.T.)

CAPÍTULO 8

FORMALISTA E HIPOCRISIA [CONCLUSÃO]

CRISTÃO: Mas será que vossa prática suporta um julgamento pela Lei?

Eu gosto de como Cristão coloca à prova o assunto em disputa, e desejo passar adiante, a cada um de vocês, a questão que ele colocou para Formalista e Hipocrisia: "Será que vossa prática suporta um julgamento pela Lei?". Bendito seja Deus, pois se estamos apoiados no Senhor Jesus Cristo, não precisamos temer o resultado de qualquer julgamento pela lei. Está de acordo com a lei, com certeza, que um homem deva manter sua promessa e que um juramento comprometa quem o faz; e nós temos estas "duas coisas imutáveis, nas quais é impossível que Deus minta", a saber, Sua promessa e Seu juramento, para que "tenhamos a firme consolação, nós, os que pomos o nosso refúgio em reter a esperança proposta"[65].

Deus prometeu perdoar a todos que creem em Seu Filho,

e essa é uma questão que suporta um julgamento pela Lei. Se cremos Nele, Ele deve e irá nos perdoar.

Os dois homens não puderam responder àquela pergunta diretamente, então disseram a Cristão: "O importante é que entramos no caminho, não importa como o fizemos. Se aqui estamos, está feito. Tu entraste do teu jeito, acredito que pela porta; nós entramos do nosso, saltando por sobre o muro". Da mesma forma, muitos dizem hoje em dia: "Vocês professam a fé e nós professamos a fé; vocês vão à Ceia do Senhor e nós vamos à Ceia do Senhor; vocês são cristãos e nós somos cristãos; um é tão bom quanto o outro, sabe; e cada um é cada um". Essas pessoas declaram que são tão boas quanto vocês, cristãos, e sei que, algumas vezes, Formalista diz: "Eu sou muito melhor do que você, pois várias vezes você reclama que sua vida não está de acordo com o padrão que você sabe que deve alcançar. Já ouvi você confessar, em suas orações, que está longe de ser perfeito. Agora, eu sou perfeito". Nunca ouviu Formalista falar assim? Eu já, muitas vezes. Conheci pessoas vindo se juntar à igreja que, em resposta às minhas perguntas, disseram-me que eram perfeitas. Um homem assegurou-me que vivera seis meses sem pecado em pensamentos, palavras e ações. Perguntei se ele tinha certeza disso, e ele respondeu que sim. "Bem, então", respondi, "não posso propor a você membresia nesta igreja, porque não há mais ninguém desse tipo entre nós, e tenho medo de que você se sinta infeliz entre as pobres e imperfeitas criaturas que somos nós". Assim, eu lhe desejei boa viagem.

---
65   Hb 6.18. (N.T.)

Há outros que não são tolos a ponto de alegar perfeição absoluta, mas pensam estar maravilhosamente perto dela. Hoje me diverti quando li um anúncio de "um culto de igreja em marfim, com bordas douradas e revestimento de cetim". E isso para uso de "pecadores miseráveis" aos domingos! Pareceu-me estranho. Contudo, quanto de nossa religião é exatamente igual a isso! É uma obra requintada para aqueles que habitam no pó e nas cinzas. Há muito orgulho mesmo em nossa humildade.

Quando Formalista e Hipocrisia disseram a Cristão: "Não vemos em que és diferente de nós senão nas vestes que te cobrem, provavelmente dadas por algum dos teus vizinhos para esconder tuas vergonhas", o verdadeiro peregrino deu uma resposta muito adequada. Ele disse:

Quanto às vestes, foram-me dadas pelo Senhor do lugar a que me dirijo, a fim de que, como dissestes, minhas vergonhas fossem cobertas. Recebo-as como um gesto de Sua bondade para comigo, pois antes nada tinha senão alguns trapos. Além disso, assim me consolo ao longo da jornada; quando chegar às portas da cidade, o Senhor dela me reconhecerá como bom por causa do manto que me cobre, dado a mim por Ele mesmo, de graça, no dia em que me limpou da miséria.

Esta é uma das coisas que Formalista não pode imitar: o manto da justiça de Cristo, acompanhado por um humilde senso de seu estado andrajoso e injusto. O Hipócrita não reconhecerá que é injusto e o Formalista não confessará que todas suas virtudes são como trapos de imundícia. Ele pensa que sua justiça própria é tudo que Deus exige dele e que isso responderá a seu propósito ao máximo. Mas o homem de coração quebrantado e espírito contrito nunca terá vergonha de dizer, na presença dos homens: "Sim, eu estava maltrapilho, perdido e arruinado, e vocês pronunciaram uma palavra verdadeira, embora tenham dito para me ridicularizar; pois eu não passo de um mendigo trajando as vestes de outra pessoa". Gosto dessa peculiaridade no caráter de Cristão: precisamente aquilo que nele foi alvo da provocação dos homens representou para ele motivo de sentir que tinha boas razões para ser grato a Deus.

Estou inclinado a pensar, entretanto, que Cristão não foi tão sábio em dizer àqueles dois homens o que lhes disse a seguir. Depois de falar em seu manto, ele acrescentou:

> Tenho, também, um sinal na testa que talvez não tenhais notado; fora fixado em mim por um dos amigos mais íntimos do meu Senhor no dia em que o fardo caíra de minhas costas. Recebi ainda um rolo selado para que lesse e fosse confortado ao longo do caminho; recebi a ordem de entregá-lo nos portões da Cidade Celestial como sinal de minha jornada em busca dela. Estou certo de que lhes faltam todas essas coisas; e lhes faltam por não terdes entrado pela porta.

Os dois não responderam aos argumentos de Cristão, apenas olharam um para o outro e riram.

Claro que sim; o que eles sabiam da marca na testa e do rolo na mão? Eles se juntaram à igreja, "tomavam o sacramento", assistiam às cerimônias de sempre; assim, eles deviam estar bem. "Uma marca na testa", disse um deles, "qual é a vantagem disso?". "E o rolo", disse o outro, "o que é isso?". Não sejam rápidos demais, queridos amigos, em contar a todo mundo sobre o segredo do Senhor ou sobre sua experiência interior. Quando se encontrar com qualquer um que possa apreciar essas coisas, aí, então, seja intencional em glorificar a Deus pelo seu testemunho. Mas, quando estiver falando com um mero formalista ou um astuto hipócrita, é melhor, tão logo perceba que o indivíduo está confiante no que encontra nele mesmo, mostrar-lhe a falsidade da suposta justiça própria dele do que contar muito mais sobre o que o Senhor fez por você. Cuidado para não desobedecer ao mandamento de nosso Senhor quanto a lançar pérolas aos porcos, para que não se voltem e o dilacerem[66]. Quando falar sobre caminhar humildemente diante de Deus, eles, de pronto, começarão a rir de você. A próxima descrição de Bunyan sobre o peregrino sempre me desperta interesse; ele diz:

> Então, prosseguiram todos. Cristão apertara o passo e andava mais à frente, conversando somente consigo mesmo, ora suspirando, ora consolado.

Sei que John Bunyan nunca me viu, mas ele esboçou meu retrato com muita precisão, pois é exatamente dessa forma que converso comigo mesmo: "ora suspirando, ora consolado". Eu olho para dentro de mim, e, então, falo suspirando; aí olho para Cristo, e isso me permite falar consoladamente. Olho a meu redor e vejo todos os tipos de tribulações e problemas, e, então, falo suspirando; aí admiro o amor de meu Pai, e falo consoladamente. Às vezes olho para alguns do povo do Senhor que não estão andando como deveriam, então falo suspirando; aí penso no eterno propósito do Senhor de apresentá-los imaculados diante da Sua glória[67], e, então, falo consoladamente. Um homem passou por mim na rua, outro dia, conversando consigo mesmo tão alto, que pensei estar falando comigo. Nem sempre é sábio fazer isso; mas, ainda assim, ao percorrermos o mundo, podemos conversar com pessoas piores do que nós. Como conheço alguns amigos que gostam muito de conversar, posso dar uma sugestão? Se eles não se importassem de falar um pouco mais sozinhos, a má reputação de seus vizinhos não seria tão rapidamente conhecida, e seria muito mais agradável para eles mesmo, penso eu. Algumas pessoas amam fofocas e escândalos, mas seria melhor se

---

66 Cf. Mt 7.6, ARA. (N.T.)
67 Cf. Jd 1.24, ARA. (N.T.)

fizessem como Davi fazia e derramassem a alma conversando consigo mesmos. Conversar sobre coisas Divinas com sua própria alma e manter comunhão com seu próprio coração em sua cama é um exercício sábio e abençoado.

Depois disso, Bunyan segue dizendo:

> Eu os vi prosseguir até chegarem ao sopé de uma montanha chamada Dificuldade, no sopé da qual havia uma fonte. Havia também ali dois outros caminhos além daquele que seguia reto desde a porta; um fazia curva para a esquerda, o outro, para a direita, no sopé da montanha. No entanto, o caminho estreito continuava montanha acima, e o nome da subida na encosta da montanha é chamada Dificuldade.

Agora vem a parte difícil. Cristão passou pelo Pântano do Desalento, então não tem medo de escalar a Montanha Dificuldade. Ele esteve aos pés da cruz e ali perdeu seu fardo; assim, ele se abaixa e bebe da fonte, e diz: "Com a ajuda de Deus, vou escalar a Montanha Dificuldade também". Talvez fosse alguma perseguição ou, quem sabe, alguma discórdia na igreja; é possível que fosse uma perda nos negócios ou poderia ser uma prova externa; mas, fosse o que fosse, ele se preparou para a prova. O verdadeiro cristão sempre diz dentro de si:

> Pela água e pelo fogo, se Jesus conduzir,
> Onde quer que vá, a Ele eu vou seguir.[68]

Mas nosso amigo Formalista viu que havia outro caminho aberto para si. Ele argumentou consigo mesmo que era, de fato, absurdo que as pessoas fossem colocadas em qualquer inconveniente por causa da

---

68 Trecho de hino *In all my Lord's appointed ways* (1828), de John Ryland. (N.T.)

religião. Frequentemente ouvimos os jovens conversando sobre uma provação pelo qual passaram, sem saber o que uma provação realmente significa; pois, passar por provação, era andar descalço sobre relhas em brasa. Assim, Formalista dizia que não se importava de ser religioso enquanto isso fosse respeitável e não envolvesse desistir de festas da moda ou de se casar com uma pessoa ímpia; mas, quando provocasse a raiva de um pai ou a oposição de velhos companheiros, ele dizia que não podia suportar isso. Portanto, ele seguiria o caminho que levava à esquerda, e contornaria o sopé da Montanha Dificuldade; depois sairia do outro lado, onde encontraria Cristão vir descendo com tanta dificuldade quanto quando subiu, e, assim, ele lhe diria: "Eu evitei todo esse problema, e, contudo, cheguei onde você está, são e salvo". Não foi assim, no entanto, pois Formalista seguiu pela estrada chamada Perigo, que o levou a uma grande floresta tenebrosa, onde ficou completamente perdido.

Quanto a Hipocrisia, ele tomou a estrada chamada Destruição e "chegou a um vasto campo repleto de montanhas obscuras, onde tropeçou, caiu e nunca mais se levantou". Suponho que isso signifique que tenha entrado na selva do pecado. Ele disse a si mesmo: "Eu já tive o bastante deste tipo de coisa. Se vou sofrer abuso por causa da religião ou vou perder meus clientes, desisto de tudo e vou fazer o que os outros fazem; vou relaxar e me divertir; não vejo por que deveria continuar negando a mim mesmo". Assim, começando com um prazer mundano, ele passou para outro e mais outro e, logo, "caiu e nunca mais se levantou". O diabo não se tornou o diabo em um dia só, e o pior dos pecadores não se tornou assim de uma vez só. Um homem pode ser um hipócrita de aparência bem decente por um longo tempo. Os chifres e os cascos podem não aparecer ainda; eles crescem gradualmente e mostram-se no devido tempo. O trajeto da rebelião contra Deus pode ser muito gradual, mas aumenta em rapidez à medida que você avança nele; e, se começar a correr morro abaixo, o sempre crescente impulso irá enviá-lo para baixo mais e mais rápido, rumo à destruição. Vocês, cristãos, devem ficar atentos contra o início da conformidade mundana. Creio que o crescimento do mundanismo seja como uma contenda, que é como o soltar das águas[69]. Uma vez que começa, não há como saber onde irá parar. Algumas vezes sou indagado sobre certas diversões mundanas: "Posso fazer tal e tal coisa?". Fico muito pesaroso sempre que alguém me faz essa pergunta, porque mostra que há algo errado, ou ela nem seria feita. Se a consciência de uma pessoa lhe permite dizer: "Bem, eu posso ir ao lugar A", ela logo passará para B, C, D, E e por todas as letras do alfabeto. Quando ladrões querem roubar nossa casa e descobrem que não conseguem entrar pela porta da frente, eles procuram uma janelinha na parte de trás e colocam um menininho lá dentro. Assim que o menino entra, ele abre a porta para os ladrões, e a casa é facilmente revistada. Nos assim chamados pecadinhos, há grandes danos. Quando não consegue nos fisgar com um pecado grande, Satanás vai tentar um pequeno. Para ele não faz diferença a isca que vai usar, contanto que pegue o peixe. Cuidado com o início do mal, pois muitos que se considerava irem pelo caminho reto, desviaram-se e pereceram entre as montanhas obscuras no vasto campo de pecado.

 É triste ter de falar assim sobre Formalista e Hipocrisia, que outrora foram pessoas agradáveis de se ver como você e eu somos agora, mas que pereceram tão miseravelmente. Deus conceda que não sejamos nem formalistas nem hipócritas, mas verdadeiros peregrinos em direção à cidade de Sião, e Ele terá o louvor e a glória!

---

[69] Cf. Pv 17.14. (N.T.)

CAPÍTULO 9

CRISTÃO CHEGA AO PALÁCIO BELO

Consideraremos agora a descrição do próprio John Bunyan de Cristão juntando-se à igreja. Ele retrata um verdadeiro peregrino, a saber, Fiel, que nunca juntou-se à igreja, mas seguia seu caminho sozinho, até Cristão alcançá-lo. Ele perdeu grandemente por fazê-lo, como lhe disse Cristão, ao falar do Palácio Belo: "Quem dera tu tivesses ficado na casa; terias visto muitas raridades das quais dificilmente te esquecerias até o dia de tua morte". Ainda assim, Fiel, sendo um eminente santo, com grande profundidade de conhecimento e experiência, e com muita firmeza de convicção, serviu bem a seu Mestre sem juntar-se à igreja; e você lembra que Bunyan o retrata sendo arrebatado, dentre os feixes em chamas de seu martírio na Feira da Vaidade, em uma carruagem levada por cavalos, "por entre as nuvens, ao som de trombetas, seguindo o caminho mais rápido para o Portão Celestial".

Mas Cristão, Cristiana, Misericórdia e quase todos, senão todos os outros peregrinos, pararam no Palácio Belo, com o que Bunyan quer se referir ao lugar de especial comunhão cristã: a Igreja de Deus na terra. Esse Palácio Belo ficava um pouco além do topo da Montanha Dificuldade. Cristão perdeu um tempo valioso dormindo no caramanchão, perdendo seu rolo e tendo de voltar para encontrá-lo; mas, finalmente, diz Bunyan:

> Enquanto lamentava seu infortúnio, porém, levantou os olhos e observou que havia um majestoso palácio diante de si, chamado Belo, situado na frente da estrada.
>
> Vi em meu sonho que Cristão apressou-se em seguir na direção do Palácio a fim de tentar hospedar-se ali. Antes que pudesse avançar mais, ele encontrou uma passagem muito estreita a alguns metros da entrada do Palácio; espreitando com mais atenção enquanto por ali procurava passar, avistou dois leões à frente.

Quando um indivíduo está prestes a se juntar a uma igreja cristã, muitas vezes lhe acontece de ver dificuldades diante de si, como esses "dois leões à frente". Ele começa a dizer consigo mesmo: "Não posso passar por tal provação". Parece-lhe tão grande prova ter de conversar com um irmão cristão sobre sua experiência, e uma coisa realmente terrível ter de ser apresentado diante da igreja, e uma ainda mais pavorosa, ser batizado; e, assim, o pobre senhor Timidez começa a vacilar e tremer. Algumas vezes, medos ainda piores do que esses surgem, e a alma perplexa clama: "Será que conseguirei aguentar se professar ser um seguidor de Cristo? Será que continuarei dando um bom testemunho Dele nos anos futuros como dou agora? O que meu marido dirá sobre isso? O que meu pai dirá? O que dirão aqueles com quem trabalho ao ouvir que eu me declaro um discípulo de Cristo?". Este foi o problema do pobre Cristão, ele "avistou dois leões à frente".

Pensou: "Agora meus olhos veem os perigos de que falavam Desconfiança e Receoso, quando decidiram voltar". Os leões estavam acorrentados, mas Cristão não podia enxergar as correntes.

A descrença geralmente tem um olho bom para os leões, mas um olho cego para as correntes que os detêm. É verdade que existem dificuldades no caminho daqueles que professam ser seguidores do Senhor Jesus Cristo. Não desejamos ocultar esse fato e não desejamos que você se chegue a nós sem calcular o custo. Mas também é verdade que essas dificuldades têm um limite do qual não podem passar. Como os leões na trajetória do peregrino, estão acorrentadas, restritas e absolutamente sob o controle do Senhor Deus Todo-poderoso.

O medo o tomou e [...] nada enxergava adiante de si senão a morte. No entanto, o homem que guardava a porta do Palácio Belo, chamado Vigilante, percebendo que Cristão aparentava querer retornar, clamou a ele, dizendo: "Será a tua força tão pequena? (Mc 8.34-37) Não temas os leões, estão acorrentados; foram colocados na passagem para testar a fé dos que intendem adentrar o Palácio, a fim de descobrir quais dos viajantes não possuem nenhuma. Mantém-te no meio do caminho, nenhum mal será feito contra ti".

Vigilante representa o bom ministro, que deve estar sempre vigilante pelas almas. Ele disse ao peregrino para se manter "no meio do caminho"; e nós damos a vocês o mesmo conselho. Vivam consistentemente, andem com cuidado: não bem à beira do caminho, como se estivessem meio inclinados a desviar-se dele, mas no meio da calçada, bem no centro da estrada do Rei. Andem em integridade e retidão, quaisquer que sejam as consequências por fazê-lo. Por um tempo, as dificuldades podem desanimá-lo, mas elas não podem, de fato, feri-los. Os leões estão acorrentados.

Qual é a dificuldade no caminho de qualquer um de vocês, desejosos de fazer uma profissão de sua fé em Cristo? Peço-lhes encarecidamente que a olhem bem nos olhos; pois, creio eu, se o fizerem, ela logo desaparecerá. Considerem a dificuldade cuidadosamente, e, depois, levem em conta a muitíssimo maior dificuldade em seu caminho caso não professem a fé que dizem de fato ter. Lembrem-se destas palavras do Senhor Jesus, que vocês jamais poderão tentar dispensar com explicações: "Quem me negar diante dos homens será negado diante dos anjos de Deus"[70]. "Ah!", diz você, "eu não nego a Cristo, simplesmente não o confesso". Sim, mas é exatamente isso o que o nosso Salvador quis dizer com negá-Lo, pois antes ele dissera: "Todo aquele que me confessar diante dos homens também o Filho do homem o confessará diante dos anjos de Deus"[71]. De modo que a expressão "quem me negar diante dos homens" está evidentemente destinada a aplicar-se àquele que não confessa a Cristo. Portanto, assegure-se de se apresentar e dar testemunho de pertencer a Cristo, caso seja realmente Dele. Quando Israel se desviou para adorar o bezerro de ouro, "pôs-se em pé Moisés na porta do arraial e disse: Quem é do Senhor, venha a mim. Então se ajuntaram a ele todos os filhos de Levi"[72]. Que haja muitos assim, que venham agora e confessam sua fé, porque o Senhor tem, por Sua graça, os chamado a Si mesmo!

Cristão decidiu avançar, tremendo de medo dos leões, mas atentando aos conselhos de Vigilante; ouvia-os rugir, mas dano algum lhe causavam. Bateu palmas na intenção de afastá-los e seguiu adiante até chegar à entrada onde estava Vigilante.

CRISTÃO: Senhor, a quem pertence a casa? Poderia eu passar a noite aqui?

---

70 Lc 12.9. (N.T.)
71 Lc 12.8. (N.T.)
72 Êx 32.26. (N.T.)

VIGILANTE: Fora construída pelo Senhor da montanha para servir de alívio e segurança aos peregrinos.

O propósito para o qual o Palácio Belo – a Igreja do Deus vivo – foi estabelecido é que "os peregrinos em direção à cidade de Sião"[73] possam encontrar descanso, revigoramento, abrigo e proteção. Eu me pergunto o que alguns de nós teriam feito se não fosse pelos cultos de sábado no santuário, a nossa reunião para adorar nas diversas formas de pregação, oração e louvor. Quando estou longe da Inglaterra, viajando pelo continente – em lugares onde não há assembleia pública para adoração –, à medida que os sábados se aproximam, sempre tento me encontrar com dois ou três amigos cristãos, para podermos ler a Palavra de Deus juntos, e orar, e cantar e, se possível, lembrarmos de nosso Senhor no partir o pão; e nós experimentamos Cristo muito precioso em tais momentos. Contudo, apesar disso, eu sempre sinto falta deste Tabernáculo e seus cultos sagrados; nada consegue preencher seu lugar em meu coração. Eu com frequência senti-me exatamente como o salmista quando estava longe de Jerusalém; parecia quase mais do que era possível suportar, e ele ansiava desfrutar mesmo que fosse o lugar mais ignóbil dentro dos átrios da casa do Senhor. Tenho certeza de que deve ser assim com todos vocês que amam o Senhor; se fossem impedidos de estar no local onde o nome de Deus é recordado de modo especial e onde têm sido tão frequentemente alimentados com o mais fino trigo, o que vocês fariam? Talvez seja noite para alguns de vocês, como aconteceu com Cristão quando chegou ao Palácio Belo; e, por isso, vocês querem abrigo e muito mais. Bem, a Igreja de Cristo está estabelecida precisamente para esse propósito: para que, pelo uso dos meios de graça e pela comunhão mútua, os cristãos possam ser consolados e aliviados.

---

73   Trecho de hino sem autor identificado. Texto original: *Pilgrims to Zion's city bound*. (N.T.)

VIGILANTE: De onde és? Para onde vais?

CRISTÃO: Venho da Cidade da Destruição e sigo para o Monte Sião, mas por causa da escuridão da noite gostaria de alojar-me aqui.

VIGILANTE: Como te chamas?

CRISTÃO: Meu nome agora é Cristão, mas anteriormente chamava-me Desprovido-da-Graça. Sou da linhagem de Jafé, a quem Deus persuadiu a habitar nas tendas de Sem (Gn 9.27).

VIGILANTE: Mas por que chegaste tão tarde? Já se pôs o sol.

Ah!, essa é uma pergunta que muitas vezes tenho de fazer aos peregrinos:"Por que você veio se juntar à igreja tão tarde? Por que não confessou a Cristo mais cedo?". Muitos adiaram esse importantíssimo assunto por um longo tempo, como se não tivesse importância. Percebo que, se o adiarem por um ou dois meses, serão bem capazes de adiar por um ou dois anos; e, se o fizerem, é muito provável que o adiem por um período ainda mais longo. Eles foram verdadeiramente convertidos, são crentes no Senhor Jesus Cristo, e, contudo, por não se juntarem à igreja logo no início, continuaram a postergar e postergar, até que alguns, de fato, extinguiram-se da membresia da igreja. Não digo, é claro, que tenham se perdido com essa negligência; mas digo que perderam muitas bênçãos e muitas oportunidades de glorificar a Deus pelo caminho, por causa da desobediência ao mandamento claro do Senhor.

Cristão teve de fazer uma confissão muito triste:

> Teria chegado mais cedo, mas, miserável homem que sou, dormi profundamente no caramanchão que fica na encosta da montanha; não somente isso me impediu de adiantar-me, mas também perdi, enquanto dormia, minha convicção. Acabei por subir o restante da montanha sem ela e só me dei conta de que a havia perdido quando cheguei ao cume. Meu coração

entristeceu-se muitíssimo quando notei que seria forçado a retornar ao lugar onde eu havia adormecido, para encontrá-la; mas, enfim, busquei-a e agora encontro-me aqui.

Ele deu a verdadeira razão por haver chegado tão tarde ao Palácio Belo, mas foi uma grande pena ele ter de admitir que estivera dormindo e, portanto, perdera sua convicção e fora obrigado a voltar para buscá-la. Quando você e eu caímos em um estado de sonolência, ficamos muito propensos a perder nossas convicções e pensar que não somos filhos de Deus. Dessa maneira, perdemos nosso primeiro amor, nossas maiores alegrias e a inabalável confiança em Deus que outrora possuíamos. E sentimos, com razão, que não podemos nos juntar à igreja até conseguirmos aquelas bênçãos de volta; assim, como o pobre Cristão, temos de descer a Montanha Dificuldade e labutar na íngreme subida de novo – trilhar a mesma estrada três vezes em vez de apenas uma, porque fomos dormir no caramanchão quando deveríamos nos esforçar adiante, em direção ao Palácio Belo. Triplamente felizes somos nós se, como o peregrino, embora tarde, alcançarmos com segurança o portão daquela santa casa, "construída pelo Senhor da montanha para servir de alívio e segurança aos peregrinos".

CAPÍTULO 10

"ENTRE, BENDITO DO SENHOR"

VIGILANTE: Bem, chamarei uma das donzelas do Palácio que, caso simpatize contigo, te levará ao restante da família, pois assim são as regras da casa.

John Bunyan era membro de uma igreja batista e sabia como fazer as coisas de maneira ordenada. Eu, algumas vezes, encontrei pessoas que disseram que, ao ler *O peregrino*, não dá para saber a que denominação o escritor pertencia. Mas, se você estudar o livro com cuidado, logo descobrirá, tanto pelo que ele deixou de fora quanto pelo que colocou, qual era a posição do bom homem. Quando John Bunyan juntou-se à igreja do sr. Gifford, o Pastor lhe disse: "Bem, John, fico feliz em saber que você está convertido, mas eu não poderia assumir a responsabilidade de recebê-lo na comunhão; devo pedir a um de meus presbíteros ou diáconos para vê-lo. Alguém deve ser nomeado pela igreja para conversar com você e reportar ao restante dos membros se você deve ser recebido ou não".

Vigilante tocou um sino e, poucos momentos depois, uma solene e bela donzela, cujo nome era Discrição, saiu à porta, perguntando o motivo pelo qual fora chamada.

O oficial da igreja, nomeado para ver os candidatos a membro, deve ser "solene" no comportamento e "belo" no caráter; ele deve ser discreto, conquanto afetuoso; desejoso de nem ser enganado nem deixar que os membros companheiros sejam enganados; alguém que anseia não ser severo demais, de modo a manter fora da igreja os que são verdadeiramente do Senhor, e, por outro lado, não ser frouxo demais, de modo a receber aqueles que não são povo Dele.

VIGILANTE: Este homem se encontra no meio de uma jornada da Cidade da Destruição ao Monte Sião, mas fora surpreendido pelo cair da noite e pedira para ser hospedado aqui até o amanhecer. Disse a ele que chamaria a ti para que fizesses o que te pareça correto, de acordo com as regras da casa.

Discrição perguntou a Cristão de onde viera e para onde se dirigia; ele lhe respondeu.

Isso é como o exame de convertidos, que geralmente descrevemos pelo termo "ver os presbíteros". Em resposta às indagações de Discrição, Cristão não ficou de rodeios, falando de outros assuntos, mas disse-lhe de uma vez o que ela queria saber. "Discrição perguntou a Cristão de onde viera." Essa pergunta foi colocada para averiguar se ele sabia ou não o que era por natureza; pois, se não sabe o que é por natureza, você não começa, de fato, a saber nada direito. Se você nunca descobriu que nasceu em pecado e foi formado em iniquidade[74] (se nunca percebeu que é um pecador, perdido e arruinado), e, além disso, se nunca perdeu seu fardo na cruz, você não está apto para ser acolhido no Palácio Belo, pois evidentemente não é um verdadeiro Cristão.

Em seguida, Discrição perguntou a Cristão "para onde se dirigia". Essa é uma pergunta muito importante. Receio haver muitas pessoas que não sabem para onde estão indo (se para o Céu ou para o Inferno), embora tenham uma leve esperança de que, possivelmente, tudo lhes irá bem, no final. Há também quem afirme que um homem não pode saber se está salvo até chegar ao outro mundo. Certamente eles devem ler uma Bíblia diferente da que eu leio todos os dias, pois ela me parece falar de forma muito clara sobre o assunto: "Quem crer e for batizado será salvo"[75]; "tendo sido, pois, justificados pela fé, temos paz com Deus, por nosso Senhor Jesus Cristo"[76]. Certamente um homem não é salvo sem o saber; e ele não possui paz com Deus sem estar ciente de que tem essa paz.

Perguntou-lhe também como entrara na estrada; e ele lhe respondeu.

Essa é outra indagação que devemos colocar para você, caso deseje se unir a nós na comunhão da igreja. Nós lhe diremos: "Você professa estar na estrada para o Céu; mas como iniciou a caminhada nela? O que o levou a sair em peregrinação? Como percebeu sua necessidade de um Salvador? Como começou a obra da graça em seu coração?". Não queremos que você nos diga o dia e a hora em que se converteu. Alguns de nós conseguiriam dizê-lo sobre si mesmos, mas outros não; e nenhuma virgem discreta ficará brava consigo se você não conseguir. Com

---

74 Cf. Sl 51.5. (N.T.)
75 Mc 16.16. (N.T.)
76 Rm 5.1. (N.T.)

frequência, quando chove, um Salomão teria dificuldade de lhe dizer exatamente quando começou, pois foi primeiro uma espécie de névoa, em seguida virou uma leve garoa e, depois, choveu de fato. Muitas vezes, quando o Sol está brilhando, pode ser que ninguém consiga dizer exatamente quando ele se levantou, contudo você sabe que ele se levantou, pois é possível tanto vê-lo quanto senti-lo. Quando estive na Suíça, em certa tarde subi uns mil e quinhentos metros, para dormir em uma estalagem e me preparar para o nascer do Sol no dia seguinte. No início da manhã, um grande chifre foi tocado e todo mundo pulou da cama, pois isso indicava que o Sol estava nascendo. Todos corremos, embrulhamo-nos nos cobertores – éramos, talvez, uns duzentos – e ficamos todos olhando para o leste, para ver o nascer; mas estávamos atrasados, pois o Sol já estava de pé antes de chegarmos lá. O mesmo acontece, frequentemente, com a obra da graça no coração. Ela está lá, mas você não sabe quando chegou ali.

Esse é um ponto sobre o qual a discreta virgem se assegurará de questioná-lo, e confio sermos capazes de dizer de você como Bunyan diz de Cristão: "E ele lhe respondeu".

Então, perguntou-lhe o que encontrara no caminho; e ele tudo contou a ela.

Queremos saber qual foi sua experiência desde que se tornou cristão: se você provou o poder da oração, por Deus haver respondido suas petições, se, quando foi tentado, você conseguiu resistir ao tentador e vencê-lo. Também lhe perguntaremos o que você está fazendo por Cristo, o que pensa de Cristo e quais são seus hábitos com respeito à leitura das Escrituras e à oração particular, e coisas do tipo.

Por último, perguntou-lhe o nome, e ele disse: "Chamo-me Cristão e desejo muito hospedar-me aqui por essa noite, pois, pelo que percebo, este lugar foi construído pelo Senhor da montanha para fins de alívio e segurança dos peregrinos". Ela sorriu, ao mesmo tempo que lágrimas lhe encharcaram os olhos. Após breve período de silêncio, disse: "Chamarei mais dois ou três membros da família".

Você vê que ela era uma criatura terna, afetuosa e gentil. Ela sorriu ao ouvir o que o peregrino disse; ficou satisfeita com o testemunho dele e "lágrimas lhe encharcaram os olhos", ao bendizer o Senhor por haver outra alma trazida das trevas para Sua maravilhosa luz.

Tem-se, nesta passagem, uma referência aos diferentes ofícios na igreja. Vigilante era o ministro; Discrição era o diácono ou presbítero; e, depois, vieram "mais dois ou três membros da família".

Discrição correu à porta e chamou por Prudência, Piedade e Caridade.

Tais personagens são os mensageiros da igreja: Prudência, que não quer deixar entrar nenhum hipócrita; Piedade, que entende de assuntos espirituais e sabe sondar o coração; e Caridade, que julga bondosa, ainda que justamente, de acordo com o amor de Cristo que está derramado em seu coração[77].

Prudência, Piedade e Caridade [...], depois de trocarem mais algumas palavras com Cristão, o trouxeram à família. Eram muitos e, encontrando-o na soleira da casa, disseram: "Entre, bendito do Senhor; esta casa foi construída pelo Senhor da montanha com

---

77   Cf. Rm 5.5. (N.T.)

o propósito de acolher tais peregrinos". Cristão curvou a fronte e os seguiu para dentro. Quando adentrou a casa e assentou-se, deram-lhe de beber e consentiram juntos que, alguns deles, usariam o tempo de espera até o jantar estar pronto para conversar com Cristão em particular, para melhor aproveitamento do tempo. Piedade, Prudência e Caridade foram incumbidas de fazê-lo.

Ali o deixarei por ora, na boa e aprumada acomodação, e espero que muitos de vocês se sintam tentados a vir à mesma porta e, pelos mesmos meios, entrar na quietude e segurança do Palácio Belo: a Igreja de Cristo na terra.

CAPÍTULO 11

CRISTÃO E APOLIOM

Cristão decidira, enfim, seguir viagem, e foi encorajado a fazê-lo. Mas, primeiro, os habitantes do palácio pediram que o peregrino os acompanhasse outra vez até o arsenal. Ao voltarem para a sala, vestiram-no da cabeça aos pés com toda a armadura adequada, para que pudesse se defender caso fosse atacado no caminho.

John Bunyan, com grande sabedoria, coloca o Palácio Belo antes, e tão logo sai pelos portões do Palácio, Cristão começa a descer para o Vale da Humilhação. Elas lhe haviam dado uma espada, um escudo e um capacete. Ele nunca tivera isso antes. Agora que tinha sua espada, ele descobriu que teria de usá-la contra Apoliom; agora que tinha seu escudo, teria de empunhá-lo para aparar as setas inflamadas; agora que recebera a arma de "toda a oração", descobriria que precisaria dela conforme andasse por aquele lugar desesperador, o Vale da Sombra da Morte. Deus não dá a

Seu povo armas para brincar; Ele não lhes dá forças para gastarem em seus deleites[78]. Senhor, se Tu me deste estas boas armas, é certo que precisarei delas em lutas duras. Se eu tive uma festa à Tua mesa, vou me lembrar de que é uma curta caminhada entre o cenáculo e o jardim do Getsêmani. Daniel, o homem muito amado, foi muito rebaixado. "Transmudou-se o [seu] semblante em corrupção, e não [teve] força alguma"[79], quando Deus lhe mostrou a "grande visão". Assim foi também com o favorecido João. Ele teve de ser banido para Patmos; na profunda solidão daquela ilha rodeada pelo Mar Egeu, ele deve receber a "revelação de Jesus Cristo, a qual Deus lhe deu"[80]. Percebi, nas cenas comuns da experiência cristã, que nossas maiores alegrias acontecem logo após algumas de nossas mais dolorosas provações. Quando a tempestade bravia mostrou sua força, ela se suaviza para dormir. Depois vem uma temporada de calma e sossego, tão profunda em sua quietude, que somente a tempestade monstruosa poderia ter sido a mãe de tão poderosa calma. Assim parece acontecer conosco. Profundas ondas de tribulação, altas montanhas de alegria. Mas o inverso é quase tão frequentemente verdadeiro; do topo de Pisga[81] passamos para nosso túmulo; do alto do Carmelo temos de descer até as covas dos leões e lutar com os leopardos. Estejamos em nossa torre de vigia, senão, como Manoá[82], tendo visto o anjo de Deus, diremos em seguida que certamente morreremos, porque vimos o Senhor.

    Cristão seguiu em frente na companhia de Discrição, Piedade, Caridade e Prudência, que decidiram fazer-lhe companhia até a parte baixa da montanha. Assim eles seguiram juntos, reiterando as conversas anteriores, até chegarem ao pé da montanha.

    CRISTÃO: Tenho a impressão de que será tão perigoso descer a montanha quanto foi difícil subi-la.

---

78 Cf. Tg 4.3. (N.T.)
79 Dn 10.8. (N.T.)
80 Ap 1.1. (N.T.)
81 Monte situado na margem nordeste do mar Morto. (N.R.)
82 Personagem do Antigo Testamento, encontrado no Livro dos Juízes 13:1-23 e 14:2-4. (N.T.)

PRUDÊNCIA: Sim, será. É uma tarefa difícil para um homem descer o Vale da Humilhação, onde estás agora, sem escorregar pelo caminho. É por isso que viemos contigo, para te acompanhar colina abaixo.

Com muito cuidado desciam a montanha e, apesar de toda a cautela, Cristão escorregou por uma ou duas vezes.

Satanás não costuma atacar o Cristão que está vivendo perto de Deus. É quando o Cristão se afasta de seu Deus, quando se torna espiritualmente faminto e empreita alimentar-se de vaidades, que o diabo descobre seu momento de vantagem. Ele pode, por vezes, ficar em pé de igualdade com o filho de Deus que é ativo no serviço de seu Mestre, mas a batalha geralmente é curta. Aquele que escorrega à medida que desce para dentro do Vale da Humilhação, toda vez que dá um passo em falso, convida Apoliom a atacá-lo. Oh, a graça de andar humildemente com nosso Deus!

Então, vi em meu sonho que, ao chegarem ao sopé da montanha, as boas companheiras de Cristão entregaram a ele um pedaço de pão, uma garrafa de vinho e uma porção de uvas secas. E, assim, ele seguiu caminho.

No Vale da Humilhação, o pobre Cristão passou por maus momentos. Após caminhar poucos passos, encontrou um terrível demônio vindo em sua direção, cujo nome era Apoliom. O medo tomou conta de Cristão e nele gerou dúvida; questionava-se se deveria retornar ou permanecer firme onde estava. Mas considerou que suas costas não estavam protegidas pela armadura; portanto, concluiu que não poderia dar as costas para o inimigo, pois isso daria a ele vantagem para atingi-lo com seus dardos.

Cristão arriscou permanecer firme onde estava, ponderando: "Se desejo viver, essa é a melhor atitude a ser tomada".

John Bunyan não retratou Cristão sendo levado para o céu enquanto dormia em uma espreguiçadeira. Ele o faz perder seu fardo aos pés da cruz, mas o representa escalando a Montanha Dificuldade de gatinhas. Cristão tem de descer para o Vale da Humilhação e trilhar o perigoso caminho por entre os soturnos horrores da Sombra da Morte. Ele precisa estar urgentemente alerta para não dormir no Terreno Encantado. Em nenhum lugar ele é liberto das necessidades incidentes no caminho, pois, mesmo nas últimas, ele vadeia o rio negro e luta contra seus terríveis vagalhões. O esforço é usado o tempo todo, e vocês, que são peregrinos para os céus, verão que isso não é nenhuma alegoria, mas uma questão real de fato. Sua alma deve cingir os lombos; você precisa de seu cajado e sua armadura de peregrino. Você deve andar por todo o caminho até o céu contendendo com gigantes, lutando contra leões e combatendo o próprio Apoliom.

Assim, Cristão seguiu em frente e Apoliom o encontrou. O monstro era uma figura horrenda de se ver: coberto por escamas semelhantes às de peixe (símbolo de seu orgulho), ele tinha asas como um dragão e patas de urso; de seu estômago saíam fogo e fumaça, e sua boca era como a de um leão. Ao encontrar-se com Cristão, Apoliom fitou-o com desdém, e, assim, começou a questioná-lo:

APOLIOM: De onde vens e para onde vais?

CRISTÃO: Venho da Cidade da Destruição, lugar onde habita muita maldade, e caminho para a Cidade de Sião.

APOLIOM: Dizes, portanto, que eras um dos meus súditos, pois toda aquela terra pertence a mim; eu sou o príncipe e o deus de tudo aquilo. Como ousas, então, fugir do teu rei? Se não julgasse útil que mais me servisses, terminaria com tua vida agora mesmo com um único golpe.

CRISTÃO: Eu, de fato, nasci sob teus domínios, mas o trabalho era tão pesado e pagavas teus servos com tanta miséria que mal era possível viver, "porque o salário do pecado é a morte" (Rm 6.23). Portanto, conforme amadureci em idade, fiz como qualquer pessoa sensata faria: procurei uma forma de remediar minha situação.

APOLIOM: Príncipe algum abre mão de um súdito com tanta facilidade; tampouco eu perderei a ti tão cedo. Mas, se o problema era o trabalho e o salário, conforme reclamaste, fica feliz em retornar à tua pátria; tudo o que se pode encontrar em meus domínios pertencerá a ti.

CRISTÃO: Mas sou agora servo de outro, que é Rei até mesmo dos príncipes. Como poderia, com lealdade, voltar a ti?

APOLIOM: Tu fizeste como diz o provérbio: "Trocaste o mal pelo pior"; mas é comum que aqueles que professavam ser servos Dele, depois de um tempo, acabem esquivando-se Dele e retornando a mim. Faze, assim, o mesmo, e tudo te irá bem.

CRISTÃO: Dei a Ele minha fé e Lhe jurei lealdade. Como poderia voltar atrás em minha palavra sem ser pendurado como um traidor?

APOLIOM: Fizeste o mesmo para comigo; apesar disso, estou disposto a passar por cima de tudo se desejares retornar a mim.

CRISTÃO: O que prometi a ti eu o fiz em minha menoridade, logo, não tem valia; além disso, espero que o Príncipe sob cuja bandeira agora marcho absolva-me de tal promessa para contigo e me perdoe por tudo o que fiz para te agradar. E, aliás, digo a ti, Apoliom destruidor, a verdade sobre meu Senhor: eu gosto de servi-Lo, gosto de Seu salário, de Seus servos, aprecio Seu governo, Sua companhia e Sua terra muito mais do que um dia apreciei o que era teu. Portanto, desiste de tentar persuadir-me; sou servo Dele e persistirei em segui-Lo.

Encontrei alguns que tinham um coração temeroso, receando estarem perdidos, pois sentiam que, em algum período da vida, negligenciaram o dever cristão. Essa é uma antiga tentação que Satanás frequentemente lança no caminho de pessoas piedosas. Você se lembra como, em adição às vis insinuações já citadas, Apoliom acusa o pobre Cristão de ser infiel:

Assim que saíste de casa, desfaleceste e quase te afogaste no Pântano do Desalento. Tentaste trilhar caminhos alternativos para te livrares de teu fardo, quando deverias ter ficado com ele até que o teu Príncipe o retirasse de tuas costas. Além disso, tu te entregaste ao sono pecaminoso, perdendo o objeto de mais valor para ti. E mais: quase voltaste para trás quando os leões te encheram de medo. Quando falas da jornada que tens percorrido, de tudo o que ouviste e viste, em teu interior há um desejo de vanglória em tudo que dizes ou fazes.

Agora, se algum de vocês for atribulado por acusações semelhantes do adversário, recorde-se de que, visto Cristo não o haver amado por suas boas obras (elas não foram a causa do começo do amor Dele para com você), da mesma forma Ele não o ama por suas boas obras mesmo agora; elas não são a causa do amor Dele para com você continuar. Ele o ama porque quer amá-lo. O que Ele aprova em você agora é o que Ele próprio lhe deu; isso é sempre o mesmo, sempre permanece como era. A vida de Deus está sempre dentro de você; Jesus não desviou o coração de você nem diminuiu a chama de Seu amor em um grau sequer. Portanto, coração fraco, "não tema, seja forte".

Apoliom não pôde conter-se de raiva e disse:
APOLIOM: Sou inimigo do teu Príncipe! Odeio Sua pessoa, Suas leis e Seu povo. Eu vim no firme propósito de me contrapor à tua decisão.

CRISTÃO: Apoliom, vê bem o que fazes. Estou na estrada do Rei, o caminho da santidade, é bom que tomes cuidado.

Ao ouvir o aviso de Cristão, Apoliom estendeu-se a ocupar toda a largura do caminho e disse:

APOLIOM: Não tenho medo algum neste assunto. Prepara-te para morrer, pois juro pelo meu covil infernal que não te deixarei avançar neste caminho. Aqui arrancarei de ti tua alma!

Dizendo isso, lançou um dardo inflamado contra o peito de Cristão. Todavia, Cristão tinha no braço o escudo e bloqueou o ataque, evitando seu perigo. Desembainhou a espada, pois viu que era hora de agir, enquanto Apoliom, com a mesma rapidez, lançava-lhe dardos tão espessos quanto granizo. Os esforços de Cristão não foram o suficiente para livrá-lo de ser ferido na cabeça, na mão e em um dos pés. Ferido, recuou alguns passos e Apoliom continuou seu empenho. Cristão recobrou a coragem e resistiu tão varonilmente quanto pôde. O doloroso combate durou cerca de metade de um dia, até que Cristão já estava por um fio, cada vez mais enfraquecido em razão de suas feridas.

Isso não é uma mera figura. Aquele que algum dia deparou-se com Apoliom lhe dirá que não há erro nessa questão, antes, é uma terrível realidade. Cristão encontrou Apoliom quando estava no Vale da Humilhação, e o dragão atormentou-o ferozmente; com setas inflamadas, o inimigo buscou destruí-lo e tirar-lhe a vida. O bravo Cristão enfrentou-o com todas suas forças, e usou varonilmente sua espada e seu escudo, até seu escudo estar cravejado com uma floresta de dardos e sua mão ter se apegado à espada. Por muitas horas, homem e dragão lutaram. Acho que o vejo agora diante de mim: aquele pavoroso espírito caído, o arqui-inimigo de nossa alma. Satanás, "com força me impeliste"[83].

---

83   Sl 118.13. (N.T.)

Muitos filhos de Deus devem proferir essa exclamação. Não é culpa de Satanás se não somos completamente destruídos. Não é por falta de maldade, sutileza, fúria ou perseverança da parte do diabo, se ainda conservamos firme nosso terreno. Ele nos encontrou muitas vezes, usando todos os tipos de armas, disparando pela direita e pela esquerda. Tentou-nos ao orgulho e ao desespero, ao cuidado e ao descuido, à presunção e ao ócio, à autoconfiança e à desconfiança de Deus. Nós não ignoramos os seus ardis[84], nem somos inexperientes quanto às suas crueldades.

Sei que falo a muitos santos de Deus que podem usar a linguagem de Davi enfaticamente: "Com força me impeliste para me fazeres cair", pois habito no meio de um povo provado e tentado. A batalha entre a alma do crente e o diabo é severa. Sem dúvida, existem multidões de espíritos inferiores que tentam os homens, e os tentam com sucesso também; mas eles podem ser muito mais facilmente colocados de lado pelos homens piedosos do que o grande líder deles pode ser.

> Então, Apoliom aproveitou aquela oportunidade e começou a aproximar-se dele, desferindo golpes corpo a corpo e causando-lhe uma terrível queda. A força do golpe fez a espada se soltar da mão de Cristão.
> APOLIOM: Agora estou certo de que és meu.
> Cristão vira a morte se achegar, de modo que começou a desesperar da própria vida. Mas Deus quisera que, enquanto Apoliom se preparava para dar o último golpe e dar um fim ao bom homem, Cristão agilmente estender a mão e alcançar sua espada, e, tomando-a, dizer: "Ó inimigo meu, não te alegres a meu respeito; ainda que eu tenha caído, levantar-me-ei" (Mq 7.8). E, com isso, desferiu contra ele um golpe fatal que o fez recuar, como quem é mortalmente ferido. Percebendo isso, Cristão ganhou novas

---
84 Cf. 2Co 2.11. (N.T.)

forças e o atacou outra vez, dizendo: "Em todas estas coisas, porém, somos mais que vencedores, por meio daquele que nos amou" (Rm 8.37). Com esse último golpe, Apoliom abriu as asas de dragão e fugiu depressa, e Cristão não voltou a vê-lo (Tg 4.7).

Por fim, o demônio levou Cristão a uma horrível queda; ao chão ele se foi e, ah, dia!, no momento em que caiu, perdeu a espada! Eis o dragão, com toda a força, fincando o pé no pescoço de Cristão e prestes a lançar o dardo inflamado em seu coração. "Ahá, agora te peguei", diz ele, "tu estás em meu poder". Mas, quando o pé do dragão estava prestes a esmagar Cristão a ponto de tirar-lhe a vida, este esticou a mão, agarrou a espada e, com um golpe desesperado no inimigo, clamou: "Ó inimigo meu, não te alegres a meu respeito; ainda que eu tenha caído, levantar-me-ei". Tão encarniçadamente ele feriu o dragão, que este abriu as asas e voou para longe; e Cristão seguiu sua jornada, regozijando-se em sua vitória.

O verdadeiro crente entende tudo isso. Para ele, não se trata de um sonho. Ele já esteve sob o pé do dragão muitas vezes. Ah! e todo o mundo colocado ao mesmo tempo sobre o coração de um homem não é igual em peso a um pé do diabo. Quando Satanás consegue a vantagem sobre o espírito, não lhe falta nem força, nem vontade, nem maldade para atormentá-lo. Dura é a sorte daquele que caiu sob o casco do Maligno. Mas, bendito seja Deus, o filho de Deus está sempre seguro, tão seguro sob o pé do dragão quanto estaria diante do trono de Deus no céu. E, ainda que todos os poderes da terra e do inferno, e todas as dúvidas e os medos que os cristãos já conheceram conspirem juntos para molestar um santo; no momento mais tenebroso, eis que Deus se levantará, e Seus inimigos serão dispersos, e Ele obterá para Si mesmo a vitória. Oh, a fé para crer nisso!

Charles H. Spurgeon

Homem algum pode imaginar tamanho combate, senão quem o vira e ouvira como eu: os gritos e terríveis rugidos de Apoliom durante toda a luta, pois ele falava como um dragão, contrastando com os gemidos e suspiros de dor saídos do coração de Cristão. Durante a longa batalha, só vi os olhos de Cristão brilharem de alegria quando ele percebeu que havia ferido Apoliom com sua espada de dois gumes; de fato, ele chegou a sorrir e voltar os olhos para o alto. Mas fora a cena mais horrenda que jamais presenciei.

Apoliom é mestre de legiões e possui o mais alto grau de poder e artimanhas. Quem já esteve em pé de igualdade com ele saberá que Cristão deparou-se com algo realmente muito duro no Vale da Humilhação, quando o dragão parou o caminho do peregrino e o fez lutar pela própria vida.

Nenhum Cristão vai encontrar muito motivo para sorrir enquanto está contendendo por sua fé, sua esperança e sua vida com o mais cruel dos inimigos. Os mensageiros de Satanás nos esbofeteiam[85] de modo terrível, mas Satanás mesmo nos fere de modo encarniçado; por isso somos ensinados, sabiamente, a orar: "Livra-nos do mal"[86]. Combater sozinho com o arqui-inimigo exigirá o máximo dos músculos da alma, fará doer cada nervo do espírito, fará brotar o suor frio na testa e o coração saltar com palpitações de medo e, assim, em certo nível, nos levará ao nosso Getsêmani e nos fará sentir que as dores do inferno se apoderaram de nós. O príncipe das trevas tem uma espada afiada, grande astúcia na esgrima, tremendo poder de mira e malignidade ilimitada de coração, e, por conseguinte, não é um adversário fraco, mas uma terrível prova a ser enfrentada. Em sua pavorosa personalidade está contida uma massa de perigo para nós, pobres mortais. Quando o

---
85 Cf. 2Co 12.7. (N.T.)
86 Mt 6.13. (N.T.)

pobre Cristão ficou sob o pé de Apoliom, sua vida quase lhe foi arrancada; mas ele viu que, como Deus queria, a espada que lhe caíra da mão estava bem a seu alcance; assim, ele estendeu a mão e agarrou "a espada do Espírito, que é a palavra de Deus"[87], e, com isso, acertou no adversário tão terrível golpe, que este abriu as asas de dragão e voou embora. Oh, acertar o demônio com tal golpe! Contemos as promessas, proclamemos o evangelho, publiquemos em todos os lugares a graça gratuita de Deus e, dessa forma, faremos recuar a peleja até a porta[88] e faremos com que aqueles que nos perseguiam sejam perseguidos.

Aleluia pela cruz de Cristo! Nós a levamos para dentro das fileiras do inimigo, confiantes na vitória. Nossa coragem não falha nem nossa esperança se esvai; o Senhor que nos ajudou é o Deus das vitórias; "O Senhor dos Exércitos está conosco; o Deus de Jacó é o nosso refúgio"[89].

---

87 Ef 6.17. (N.T.)
88 Cf. Is 28.6. (N.T.)
89 Sl 46.7. (N.T.)

CAPÍTULO 12

COM O QUE FIEL DEPAROU-SE NO CAMINHO

CRISTÃO: Bom, vizinho Fiel, [...] diga-me, com que te deparaste no caminho? Suponho que tenhas histórias dignas de serem ouvidas.

FIEL: Escapei do Pântano no qual ouvi que caíste e cheguei à porta sem expor-me a esses perigos. Mas encontrei uma moça cujo nome era Libertina, que quase me causou dano.

CRISTÃO: Fico contente por teres escapado de sua teia; José também esteve em dificuldade com ela e escapou como tu; no entanto, a ele quase custou a vida (Gn 39.11-13). Mas o que ela fez contra ti?

FIEL: Não imaginas, só quem a encontrara é que pode dizer quão lisonjeira é sua língua. Convidou-me a me desviar com ela e me prometera toda a sorte de prazeres.

CRISTÃO: Não, ela não te prometera o prazer da boa consciência.

FIEL: Sabes a que prazeres me refiro, todos os carnais.

CRISTÃO: Graças a Deus escapaste dela: "Aquele contra quem o Senhor se irar cairá em sua teia" (Pv 22.14).

FIEL: Na verdade, não sei ao certo se consegui escapar completamente dela.

CRISTÃO: Ora, não consentiste com os desejos dela, certo?

FIEL: Não, não quis me contaminar, pois me lembrei de um escrito antigo que vi há algum tempo, que diz: "Os passos dela conduzem ao inferno" (Pv 5.5). Fechei os olhos para não ser enfeitiçado por seu olhar (Jó 31.1). Ela muito me injuriou e, então, segui meu caminho.

A primeira das tentações de Fiel foi muito vulgar. É, de fato, quase vergonhoso falar dela; contudo, os mais puros e de espírito celestial, estando ainda no corpo, têm de confessar que essa tentação já lhes cruzou o caminho. Não importa quão perto vivemos de Deus nem quanto purificamos nosso caminho por observá-lo conforme a palavra de Deus[90], a todos nós, e eu algumas vezes pensei que especialmente aos jovens e aos idosos, essa tentação certamente virá. É uma bênção se, pela graça de Deus, usamos o método de José de vencê-la, a saber, fugindo dela, pois não há nenhuma outra. Fuja, pois não há negociação com esse inimigo. Enquanto se demora, você é feito prisioneiro. Enquanto olha, o fruto é colhido. Enquanto pensa em como resistir ao ataque da serpente, ela se enrola em você. Quem hesita está perdido. "Escapa-te por tua vida; não olhes para trás de ti, e não pares em toda esta campina"[91] é a única direção para todo homem que quer sair de Sodoma. Não há como escapar

---
90 Cf. Sl 119.9. (N.T.)
91 Gn 19.17. (N.T.)

desse pecado, a não ser fugir. "Foge também das paixões da mocidade"[92], escreveu Paulo a Timóteo.

Observe que, embora Fiel não tenha cedido à tentação de Libertina, ele diz: "Na verdade, não sei ao certo se escapei completamente dela". A probabilidade é que as tentações da carne, mesmo quando se resiste a elas, nos causem dano. Se os carvões não nos queimam, nos escurecem. O próprio pensamento do mal, e especialmente de tal mal, é pecado. Dificilmente podemos ler uma reportagem de jornal de alguma coisa desse tipo sem que nossa mente, em algum grau, seja contaminada. Há certas flores que perfumam o ar à medida que florescem, e posso dizer sobre essas questões que elas espalham um mau cheiro quando são repetidas aos nossos ouvidos. Chega do ataque de Libertina a Fiel. Que de sua teia e de sua cova todo peregrino seja preservado!

CRISTÃO: Não foste atacado mais nenhuma vez no caminho para cá?

FIEL: Quando cheguei ao sopé da Montanha Dificuldade, deparei-me com um ancião que me perguntou quem eu era e de onde vinha. Disse-lhe que era um peregrino a caminho da Cidade Celestial. E ele me respondeu: "Tu pareces ser um camarada honesto; ficarias contente em morar em minha casa e me servir a preço de um bom salário?". Então, perguntei-lhe o nome e onde morava. Ele se chamava Primeiro Adão e morava na Cidade do Engano (Ef 4.22). Perguntei-lhe qual trabalho haveria de realizar e qual seria a paga. Segundo ele, o trabalho seria muito prazeroso, enquanto o salário se tratava da herança por ele deixada. Questionei ainda acerca do sustento de sua casa e quem eram seus servos, ao que respondeu ser uma casa mantida com todas as iguarias do mundo e que os servos eram gerados dele mesmo.

---
[92] 2Tm 2.22. (N.T.)

Procurei saber se tinha filhos. "Tenho três filhas: Concupiscência da Carne, Concupiscência dos Olhos e Soberba da Vida; poderás tomá-las todas em casamento, se quiseres" (1Jo 2.16), disse ele. Perguntei-lhe por quanto tempo me queria vivendo consigo; disse-me que enquanto ele vivesse.

Suponho que todo cristão que já andou um bom tanto no caminho para o Céu sabe o que Fiel quer dizer quando fala de Adão, o Primeiro. Ainda assim, pode ser bom contemplá-lo um pouco, pois então seremos constrangidos a louvar a poderosa graça que nos livra do poder desse pai de todos os problemas: a velha natureza de Adão que está em nós.

Primeiro, observe que essa natureza é descrita como um homem velho. Alguns de vocês talvez não tenham mais de dois ou três anos de convertidos, mas tenham trinta anos de idade; assim, a velha natureza tem trinta anos, embora a nova natureza tenha apenas três. Alguns, com setenta anos de idade, podem ser ainda apenas bebês na graça. Como podemos esperar que o bebê, que é recém-nascido, seja páreo para o velho homem, a menos que Deus venha em seu socorro e lhe dê uma força superior?

Esse velho homem encontrou o peregrino e chamou-o de "um camarada honesto". Da mesma forma, nossa velha natureza sempre nos faz pensar bem de nós mesmos. A Palavra de Deus diz que "enganoso é o coração, mais do que todas as coisas"[93]. Entre outros enganos por ele praticados, está o de procurar sempre nos lisonjear. Ah, sim, somos realmente camaradas maravilhosamente honestos! Conheci homens que haviam cometido todo tipo de pecado e se orgulhavam de ser surpreendentemente honestos. Eles não são hipócritas! Não fingem ser religiosos. Eles odeiam beatice, e assim por diante. Cuidado com o elogio que seu próprio coração lhe dá.

---

[93] Jr 17.9. (N.T.)

Então, o Velho Adão pediu que Fiel fosse para casa com ele. Observe, ele lhe prometeu um salário. Sob o Velho Adão, é tudo uma paga; sob o Novo Adão, não é por dívida, mas de graça. O velho cavalheiro contou-lhe qual seria o salário. Ele disse que Fiel seria seu herdeiro no final. Uma bela herança seria essa, pois "o salário do pecado é a morte"[94]; e, se andarmos na carne, da carne ceifaremos corrupção[95]. Herdaremos unicamente o que o Velho Adão deixar para nós, e o que significa isso, senão que seremos herdeiros da ira, como os outros também[96]? Uma pobre perspectiva: um servo ser contratado onde a ira eterna será o salário de seu serviço!

Quanto ao trabalho, o Velho Adão disse que seria todo tipo de deleite. Sim, há um tipo de prazer no pecado. A mente carnal irá apreciá-lo. A espuma no topo do copo brilha com tantas cores do arco-íris, e seu sabor é tão doce, de primeira, que aquele que bebe esquece-se do que são as escórias, as quais Deus diz que todos os ímpios da terra as sorverão e beberão[97]. Ainda nesta vida eles beberão delas e, na vida vindoura, experimentarão a destruição eterna da presença do Senhor. Então, o velho homem disse que sua casa era mantida com todas as iguarias do mundo; e isso é verdade, pois a velha natureza procura todas as coisas para se deleitar, e, contudo, nunca está contente. Quando devotou-se aos prazeres, Salomão tomou para si servos e servas, homens cantores e mulheres cantoras, música e vinho, e todo tipo de delícias, e, contudo, ele teve de dizer: "Vaidade de vaidades, tudo é vaidade"[98]. Todos os deleites da carne nada mais são do que uma ilusão. Quão rápido se acabam e se vão! A chama de uns espinhos passa rapidamente, e um punhado de cinzas é tudo o que resta.

---

94 Rm 6.23. (N.T.)
95 Cf. Gl 6.8. (N.T.)
96 Cf. Ef 2.3. (N.T.)
97 Cf. Sl 75.8. (N.T.)
98 Ec 1.2, ARA. (N.T.)

Quanto às três filhas do velho, você as conhece. Sobre Concupiscência da Carne já falamos sob o título de libertinagem. Depois, há a Concupiscência dos Olhos. O olho mal consegue mirar algo de belo sem desejá-lo. Nós logo nos tornamos cobiçosos, a menos que o Espírito de Deus mantenha nossa mente sob a restrição apropriada. "Não cobiçarás" é um mandamento muitas vezes quebrado por nós quase de modo inconsciente.

Consequentemente, não nos arrependemos como deveríamos de nosso pecado contra o mandamento que toca nossos pensamentos e desejos. Quanto à Soberba da Vida, receio que muitos cristãos se submetam obsequiosamente a essa terceira filha do Primeiro Adão por autoindulgência no vestuário, nas despesas, em todo tipo de exibicionismo. Note bem, essa Soberba da Vida, embora a mais respeitável das três, como as pessoas pensam, é tão genuína filha do Velho Adão como o é a Concupiscência da Carne. Não consigo imaginar nosso Senhor Jesus Cristo vestindo-se de modo a atrair atenção para Sua pessoa; nem consigo imaginar Maria Madalena, ou Maria e Marta, irmãs de Lázaro, cuidando de mera aparência e pompa. Não consigo pensá-las andando assim à luz do rosto de seu Mestre. Elas eram adornadas, sim, como aquelas santas mulheres dos tempos antigos, cujo enfeite não estava no frisado dos cabelos e na compostura dos vestidos, mas em todos os ornamentos de um espírito manso e tranquilo. Essa filha do Velho Adão está muito consagrada nos dias de hoje. Ela mantém as chapelarias funcionando e envia muitos homens ao tribunal de falência; e, infelizmente, ela é convidada para dentro de muitos de nossos círculos cristãos, e é tida em alta conta.

O Velho Adão propõe que Fiel se case com todas elas, se quiser. Há alguns que entraram nesse pavoroso triplo casamento e tiveram uma terrível tríplice maldição como resultado.

Observe quão longo era para ser o serviço. O velho disse a Fiel que o teria vivendo com ele "enquanto ele vivesse". Quando um homem se dá ao Velho Adão, não fica livre do serviço, pois, enquanto o Velho Adão tem suas armadilhas para os jovens, também tem suas tentações para a meia-idade e, estou certo, tem igualmente bastante delas para os velhos. Essa serpente pode adequar-se a todas as idades e disposições, tampouco existe buraco pequeno demais no qual ela não consiga se contorcer para entrar. O serviço ao pecado é um serviço de uma vida inteira, e seu fim é um sofrimento eterno.

CRISTÃO: E qual fora o desfecho da conversa entre vocês?

FIEL: Primeiro, senti-me inclinado a acompanhar o ancião, pois julguei ser verdade o que dizia. No entanto, ao olhar para sua fronte enquanto conversávamos, notei que estava escrito: "Despojai-vos do velho homem com todas as suas obras."

Que misericórdia foi Fiel ter sido levado a inspecionar o velho homem! Só precisamos olhar para ele para ver o que é. Ele é tão transparentemente mau, que, se a pessoa tão somente colocar na cabeça o "chapéu da consideração", logo verá que o velho homem deve ser despojado com todas as suas obras. A consciência, penso eu, está suficientemente alerta em todos nós para dizer-nos que a autoindulgência, em qualquer de suas formas, não pode ser boa para os seguidores do santo Jesus. "Despojai-vos do velho homem com todas as suas obras" era a marca na testa dele; e, tão logo a viu, Fiel recusou-se a ter alguma coisa mais a ver com ele.

CAPÍTULO 13

COM O QUE FIEL DEPAROU-SE NO CAMINHO [CONCLUSÃO]

CRISTÃO: E então?

FIEL: Então, tudo o que ele dizia a partir desse momento, não importava quão lisonjeiro fosse, fazia queimar em minha mente o pensamento de que, assim que chegássemos em sua casa, ele me venderia como escravo. Por isso, pedi que parasse de falar, pois eu não chegaria nem mesmo a passar perto da porta de sua casa. Ele me dirigiu muitas injúrias e disse que mandaria seguir-me alguém que faria minha alma amargurar-se pelo caminho. Depois disso, virei-lhe as costas para me afastar dele, mas, assim que me preparei para dar o primeiro passo, senti que ele me deu um tranco implacável, que foi como se arrancasse uma parte de mim, ao que exclamei: "Desventurado homem!" (Rm 7.24) E continuei minha caminhada montanha acima. Quando cheguei na metade da subida, olhei para trás e vi que alguém me seguia, célere como o vento, e me alcançou ao chegar próximo do lugar de descanso [...] Assim que o homem me alcançou, bastou uma palavra e um sopro para me derrubar e quase matar-me. Quando voltei a mim, perguntei por que motivo me atormentava. "Por causa da tua inclinação secreta ao Primeiro Adão", disse ele. Com essas palavras, desferiu contra mim outro golpe brutal no peito e me deixou caído aos seus pés, tão inconsciente quanto antes. Quando, outra vez, voltei a mim, pedi-lhe misericórdia, mas ele respondeu: "Não conheço misericórdia", e continuou a me bater. Sem dúvida, teria acabado com minha vida se não fosse por Aquele que passava pelo caminho e lhe ordenou que parasse.

CRISTÃO: E quem era esse?

FIEL: Não O reconheci a princípio, mas, conforme passou por mim, notei as feridas em Suas mãos e em Seu lado, então concluí que era o nosso Senhor. Assim, persisti em subir a montanha.

CRISTÃO: O homem que te seguira era Moisés. Ele não poupa a nem um sequer e não sabe agir de misericórdia para com aqueles que transgridem sua lei.

FIEL: Sei muito bem. Não fora essa a primeira vez que viera ao meu encontro. Tinha antes vindo a mim enquanto eu habitava em segurança, dizendo que queimaria minha casa se nela permanecesse.

Fiel disse: "Então, tudo o que ele dizia a partir deste momento, não importava quão lisonjeiro fosse, fazia queimar em minha mente o pensamento de que, assim que chegássemos em sua casa, ele me venderia como escravo". Ah!, é assim mesmo. Se cedermos a qualquer dos desejos da carne, nós nos tornaremos escravos deles, e não haverá escravidão igual à do homem que se entregou à própria natureza corrupta. Ele vai de mal a pior, e de pior a pior de todos. Que escravidão envolve a bebida! "Para quem são os ais? Para quem os pesares? Para quem as pelejas? Para quem as queixas? Para quem as feridas sem causa? E para quem os olhos vermelhos? Para os que se demoram perto do vinho, para os que andam buscando vinho misturado."[99] Quanto a nossas concupiscências, existem ainda mais penalidades flagrantes que as seguem. Todo homem sabe que não pode ceder nem um pouco a elas, mas a tendência é ceder mais a elas.

Imediatamente, o Velho Adão começou a injuriar Fiel. É seguro e certo que, quando você resiste às tentações da carne, ela se volta e o dilacera. O diabo tem duas maneiras de lidar conosco. Em primeiro lugar, ele nos fala de maneira decente e nos manda fazer o que ele quer; mas, se lhe dizemos "não", ele declara que não somos filhos de Deus e começa a nos insultar, como se ele mesmo fosse um santo e tivesse o direito de encontrar falhas em nós. Ele será nosso inimigo em uma ou outra direção. Assim fez esse velho a Fiel.

Ele também fez outra coisa, que alguns de nós entendem muito bem. Ele deu um tranco implacável em Fiel. Ah! deve trazer lágrimas a nossos olhos lembrar o tranco que o pecado algumas vezes nos deu, como se fosse nos arrastar para nos escravizar uma vez mais. Nós conhecíamos o mal, e, pela graça de Deus, nos decidimos contra ele; também não caímos nele, embora nossos pés quase tenham se desviado e pouco faltou para que nos escorregassem os passos[100]. A carne do melhor dos homens não passa de carne de uma natureza depravada, e a velha natureza do homem mais santo é completamente carnal, e não pode ser de outra forma. Ela é tão ruim e detestável que deve ser enterrada, pois nem o próprio Deus jamais tentará melhorá-la. A nova natureza precisa vir e, primeiro, subjugá-la, e, ao fim, mortificá-la até que ela morra definitivamente; mas, enquanto estiver lá, ela "é inimizade contra Deus" e "não

---
99 Pv 23.29,30. (N.T.)
100 Cf. Sl 73.2. (N.T.)

é sujeita à lei de Deus, nem, em verdade, o pode ser"[101]. Que trancos isso pode dar, como se jogassem o homem em duas direções contrárias!

Muitos crentes ficam grandemente abatidos por causa desse conflito dentro de si. Tão logo haja guerras e lutas entre os dois homens – o velho e o novo –, concluem imediatamente que está tudo acabado para eles. Conclusão tola, de fato! Pois não haver guerras seria uma prova de não haver vida. Não haver conflitos seria uma evidência de haver somente um poder interior, e seria o poder do maligno. Não tire de suas comoções internas, da tentação que o assalta e da força com que ela age contra seus princípios internos – não tire a conclusão de que, portanto, você é um rejeitado por Deus. Isso é, antes, razão pela qual você deveria clamar: "Quem me livrará do corpo desta morte?", e, pela fé, deveria exclamar: "Graças a Deus por Jesus Cristo nosso Senhor"[102].

Eu sempre me espantei com alguns cristãos que não conseguem entender nada sobre tais conflitos internos resultantes dessa dupla natureza. Embora sejam, sem dúvida, verdadeiros discípulos, eles parecem bastante surpresos por pensarmos ser possível que o Cristão tenha em si suas antigas corrupções. Posso ser pior do que as outras pessoas, mas sou obrigado a confessar-lhe que nunca passa mais de um dia sem que eu esteja dolorosamente consciente do pecado que habita em mim. E, embora saiba que estou salvo pela graça e haja uma nova natureza que operou em mim por Deus, o Espírito Santo, eu, contudo, muitas vezes tenho de exclamar com o Apóstolo: "Miserável homem que eu sou! quem me livrará do corpo desta morte?". Eu pensava que essa fosse a experiência de todo o povo de Deus. Posso unicamente dizer que, se isso pudesse ser suprimido, eu ficaria feliz em me livrar; mas creio que, até as portas do Céu, haverá esse conflito de todo o dia, essa luta de toda a hora entre a casa de Davi e a casa de Saul, entre a semente da mulher

---

101   Rm 8.7. (N.T.)
102   Rm 7.24,25. (N.T.)

e a semente da serpente, entre o Velho Adão e o Novo Adão, entre o natural e o espiritual.

No entanto, nosso Peregrino escapou; mas escapou com uma ameaça, pois o velho homem lhe disse que enviaria alguém após ele que faria amargurar-lhe a alma pelo caminho. Você sabe quem era esse alguém. Era Moisés; pois, quando a lei chega à consciência de um Cristão, ela lhe diz: "Você professa ter escapado limpo da corrupção que, pela concupiscência, há no mundo, mas olhe para você! Bem sabe que, se houvesse sido deixado por si mesmo, teria feito o que os outros fizeram; e, embora tenha sido guardado do pecado real, você, contudo, passou o pensamento dele sob a língua, e quão doce foi! Como pode haver uma mudança em sua natureza quando tal coisa pode ser dita sobre você?". E lá desce a grande clava, de novo e de novo, até que você esteja caído e todo ensanguentado, pronto para perecer. Quando a lei começa a lidar mesmo com um Cristão, se Aquele não lhe vem em auxílio, ela logo mata o melhor entre nós. "Nenhuma carne será justificada diante dele pelas obras da lei."[103] Quando o Cristão vem para ser julgado pela lei de Deus, ela o faz dizer: "A lei é espiritual; mas eu sou carnal, vendido sob o pecado"[104]. Ela faz um homem cair como se estivesse morto. "E eu, nalgum tempo, vivia sem lei, mas, vindo o mandamento, reviveu o pecado, e eu morri."[105] Senti o poder do pecado agindo em mim e pareci cair aos pés do acusador como alguém totalmente desprovido de vida. Pois bem, a lei não pode, de fato, matar o Cristão. Se os cristãos souberem como permanecer firmes, ela não lhe causará dano. Não estamos debaixo da lei, mas debaixo da graça[106]. Não recebemos novamente o espírito de escravidão, para outra vez estarmos em temor, mas recebemos o Espírito de adoção de filhos, pelo qual clamamos: *Aba*, Pai.[107]

---

103 Rm 3.20. (N.T.)
104 Rm 7.14. (N.T.)
105 Rm 7.9. (N.T.)
106 Cf. Rm 6.14. (N.T.)
107 Cf. Rm 8.15. (N.T.)

Moisés é um bom amigo nosso, no final das contas. Ele nos bate muito furiosamente, mas, quando nos leva a Cristo, é uma bendita experiência para nós. Se ele ameaça queimar a casa sobre nossa cabeça, se nos expulsa de nossos refúgios de mentiras, isso é, de fato, misericórdia para nós. Não obstante, para a consciência, receber os golpes de Moisés é um processo muito doloroso.

Quão alegre é o momento quando Ele aparece, com "as feridas em Suas mãos e em Seu lado"! Agora, Cristão, entenda isto. Quando você vê o Cristo crucificado, os trovões do Sinai cessam de amedrontá-lo. Quando consegue sentir que Ele o amou e se entregou por você, e, no madeiro, carregou no próprio corpo a transgressão da natureza de seu Velho Adão, você pode exultar "com alegria indizível e cheia de glória"[108]. Você sabe o que é ser surrado por Moisés. Estou convicto de que também saiba o que é ser curado pelo amoroso Senhor e ser colocado de volta em seu caminho, regozijando-se.

Algumas pessoas não entenderão tudo isso. Posso apenas orar para que ainda consigam entender; pois, lembre-se de que, se não houver em si nenhum esforço para fazer o que é bom, então você estará corrompido por completo. Se nunca é perturbado, nunca é atribulado, você tem boas razões para se angustiar. Se nunca lutou a batalha, você nunca obterá a vitória. Se nunca sofreu, nunca reinará. Se não aprendeu a negar a si mesmo, você não será participante com o povo de Deus. Qualquer um pode facilmente dizer qual peixe em um rio está morto e qual está vivo. Há um flutuando na superfície da água, sendo levado pelo ribeiro. Podemos ter certeza de que esse está morto. Todavia, vê aquele outro peixe vindo velozmente contra a forte correnteza? Esse não é um peixe morto, mas um peixe vivo. E, quando você encontra um homem sendo levado pelos costumes de seus vizinhos, fazendo exatamente como os outros, pode concluir que é uma alma morta. Mas quando um homem

---

[108] 1Pe 1.8, ARA. (N.T.)

está lutando contra si mesmo, contra os costumes, contra tudo o que é deste mundo, então pode saber que esse é um homem vivo, e o Deus que lhe tem dado vida sustentará essa vida e a recompensará ao final. A evidência de vida é simples confiança no Salvador ensanguentado. Amado, mantenha seus olhos Nele. Somente Ele pode protegê-lo de Moisés e do Primeiro Adão. E, ó pobre pecador!, se queres obter o descanso perfeito, vira teus lacrimejantes olhos para Ele, que diz: "Olhai para mim, e sereis salvos, vós, todos os termos da terra"[109].

---

109 Is 45.22. (N.T.)

CAPÍTULO 14

FEIRA DA VAIDADE

Vi, então, em meu sonho, que ao saírem do deserto, avistaram um povoado chamado Vaidade, no qual se faz uma feira que se prolonga pelo ano inteiro e possui o mesmo nome da cidade. Ela carrega esse nome porque o lugar em que é celebrada é ainda mais leve que a vaidade (Sl 62.9), assim como tudo o que se vende nela. Como diz o sábio: "Tudo é vaidade" (Ec 1; 2.11,17; 11.8; Is 11.17).

O estado mais feliz de um cristão é o estado mais santo. Assim como o calor é maior quanto mais próximo do Sol, também a felicidade é maior quanto mais próximo de Cristo. Nenhum cristão desfruta de conforto quando seus olhos estão fixos na vaidade. Não culpo os homens ímpios por correrem para seus prazeres. Que se encham deles. É tudo o que eles têm para desfrutar, mas os cristãos devem procurar seu deleite em uma esfera mais alta do que as insípidas frivolidades do mundo. Buscas vãs são perigosas para almas renovadas.

Como disse, o caminho para a Cidade Celestial passa por essa cidade onde esta feira lasciva é mantida. Aquele que quer ir à Cidade sem cruzar pela feira, terá de sair do mundo (1Co 5.10).

Quando estiver cansado do conflito e do pecado que lhe vem de todo lado, considere que todos os santos têm suportado a mesma provação. Eles não foram carregados do leito da terra para o céu, e você não deve esperar fazer a viagem mais facilmente do que eles. Essas pessoas tiveram de expor a vida à morte nas alturas do campo[110], e você não será coroado até ter também sofrido as aflições como bom soldado de Jesus Cristo[111]. Portanto, "estai firmes na fé; portai-vos varonilmente, e fortalecei-vos"[112].

Como estava a dizer, nossos peregrinos precisavam cruzar essa cidade, e assim o fizeram. No entanto, assim que seus pés pisaram a feira, todo o povo se alvoroçou e a cidade foi tomada por um intenso burburinho por sua causa. E isso por vários motivos.

Primeiro, porque os peregrinos estavam cobertos por vestimentas diferentes de qualquer outra que se pudesse encontrar naquela feira. Os feirantes, portanto, os encaravam fixamente; alguns os chamavam tolos, outros os chamavam desordeiros, outros diziam que eram estrangeiros (1Co 4.9).

Segundo, porque, assim como se espantaram com as vestimentas dos peregrinos, também foram surpreendidos por seu discurso, pois poucos entendiam o que eles falavam. Eles

---
110 Cf. Jz 5.18. (N.T.)
111 Cf. 2Tm 2.3. (N.T.)
112 1Co 16.13. (N.T.)

naturalmente falavam a língua de Canaã, enquanto os comerciantes eram homens deste mundo. Por isso, de uma ponta à outra da feira, eles soavam como bárbaros para os outros (1Co 2.7,8).

Se você seguir a Cristo de modo pleno, pode estar certo de ser chamado por algum apelido maldoso ou coisa do tipo. Eles dirão o quão esquisito você é. Quando se torna um verdadeiro cristão, logo você é um homem marcado. Dirão: "Como ele é estranho!"; "Que curiosa ela é!". Vão achar que tentamos nos tornar notáveis, quando, na verdade, somos apenas conscientes e nos empenhamos em obedecer à vontade de Deus.

Dirão: "Por que você é antiquado?". Você crê nas mesmas coisas antigas que eles costumavam crer nos dias de Oliver Cromwell, aquelas velhas doutrinas puritanas. Eles riem de nossa fé e afirmam que perdemos nossa liberdade.

A Feira da Vaidade não é nenhum negócio novo, mas um comércio antigo que se perpetuou. Tratarei de dizer-vos como tudo começou.

Quase cinco mil anos atrás, peregrinos caminhavam para a Cidade Celestial, como os dois homens honestos que temos acompanhado. Belzebu, Apoliom e Legião, com seus companheiros, percebendo que o caminho trilhado pelos peregrinos passava pela Cidade de Vaidade, tramaram estabelecer uma feira que duraria o ano todo, na qual estaria à venda toda sorte de vaidades. Por isso, encontram-se nessa feira todo tipo de mercadoria: casas, terras, negócios, posições, honrarias, títulos, países, reinos, luxúrias, prazeres e diversos deleites como prostitutas, esposas, maridos, filhos, mestres, servos, vidas, sangue, corpos, almas, prata, ouro, pérolas, pedras preciosas e muitas outras coisas.

Existem diversos tipos de vaidade. O chapéu do bobo, com sininho nas pontas, o folguedo do mundo, a dança, a lira e o cálice do dissoluto; todos esses itens, os homens sabem ser vaidades. Eles carregam na fronte seu devido nome e título. Muito mais traiçoeiras são aquelas coisas igualmente vãs, os cuidados deste mundo e a fascinação das riquezas. Um homem pode seguir a vaidade tão verdadeiramente na casa de contabilidade quanto no teatro. Se vai gastar a vida em acumular riquezas, ele passa os dias em uma exibição vã. A menos que sigamos a Cristo e façamos de nosso Deus o grande objeto da vida, nós somente diferiremos dos mais frívolos em aparência.

É a doçura do pecado o que o torna mais perigoso. Satanás nunca vende seus venenos nus; ele sempre os ornamenta antes de vendê-los. Fique atento aos prazeres. Muitos deles são inocentes e saudáveis, mas muitos são destrutivos. Diz-se que onde crescem os cactos mais belos, as mais venenosas serpentes espreitam. É assim com o pecado. Seus mais justos prazeres abrigarão seus mais grosseiros pecados. Cuidado! A áspide de Cleópatra foi trazida em uma cesta de flores. Satanás oferece ao bêbado a doçura do cálice inebriante. Ele dá a cada um de nós a oferta de nossa alegria peculiar; ele nos regala com prazeres para poder apossar-se de nós.

Além disso, ali também se encontram, o tempo todo, enganações, jogos, diversões, animais de circo, trapaças e vigarices de todo tipo. Há também roubos, assassinatos, adultérios e calúnias, todos regados de sangue sem motivo aparente.

Que seja abolido para sempre todo pensamento de ceder à carne, se você quiser viver no poder de seu Senhor ressurreto. Seria doentio um homem que está vivo em Cristo habitar na corrupção do pecado. "Por que buscais o vivente entre os mortos?"[113], disse o anjo a Madalena.

---

113   Lc 24.5. (N.T.)

Deve o vivo habitar no sepulcro? Deve a vida divina ficar encarcerada na casa mortuária da concupiscência carnal? Como podemos tomar parte no cálice do Senhor e ainda beber o cálice de Belial? Certamente, crente, da lascívia e de pecados abertos você está liberto; será que também escapou do engodo mais secreto e enganoso do satânico passarinheiro? Você saiu da concupiscência do orgulho? Escapou da indolência? Saiu limpo da segurança carnal? Está buscando, dia a dia, viver acima do mundanismo, da soberba da vida e do sedutor vício da avareza? Siga após a santidade; é a coroa e a glória do cristão.

Terceiro, porque o que divertiu, e não pouco, os comerciantes, foi o desdém dos peregrinos para com as mercadorias, a ponto de nem ao menos as olharem. E, se alguém os chamava a atenção com o intuito de oferecer-lhes algo, tapavam os ouvidos e diziam: "Desvia os meus olhos, para que não vejam a vaidade" e olhavam para cima, como sinal de que seu tesouro estava no céu (Sl 119.37; Fp 3.19,20).

Um dos mercadores, querendo zombar dos peregrinos, disse a eles: "O que comprareis?" Mas eles, com semblante sério, responderam: "Compramos a verdade" (Pv 23.23).

A religião comum da atualidade é uma mistura de Cristo e Belial.
"Se o Senhor é Deus, segui-o, e se Baal, segui-o."[114] Não pode haver aliança entre os dois. Jeová e Baal jamais podem ser amigos. "Ninguém pode servir a dois senhores [...] Não podeis servir a Deus e a Mamom."[115] Toda a tentativa de comprometer-se em matéria de verdade e pureza é baseada em falsidade. Que Deus nos salve de tal odiosa mentalidade dobre. Você não deve ter comunhão alguma com as obras infrutíferas

---
114 1Rs 18.21. (N.T.)
115 Mt 6.24. (N.T.)

das trevas; antes, porém, deve reprová-las[116]. Ande de modo digno da sua alta vocação e dignidade. Lembra-te, ó Cristão, que és filho do Rei dos reis. Portanto, mantém-te imaculado do mundo. Que não se sujem os dedos que em breve tocarão cordas celestiais; que não se tornem janelas de lascívia os olhos que logo verão o Rei em Sua beleza; que não se contaminem em lugares de lama esses pés que logo andarão pelas ruas de ouro; que esses corações não sejam cheios de orgulho e amargura, esses que dentro em breve serão cheios do céu e transbordarão de alegria extasiante.

> Ergue-te onde florescem as belezas eternas
> E todo o prazer divino;
> Onde a riqueza jamais se consome,
> E brilham glórias sem fim!

A resposta foi motivo suficiente para que os homens os desprezassem ainda mais. Alguns zombavam deles, outros os insultavam; alguns os repreendiam, outros tentavam reunir quem quisesse surrá-los. A feira transformou-se num enorme tumulto, de forma que já não havia ordem alguma. Os rumores chegaram ao responsável pela feira, o qual rapidamente desceu para ver o que ocorria e ordenou que alguns de seus amigos mais próximos examinassem os dois homens de quem tanto se falava, motivo de tamanho alvoroço. Então, os peregrinos foram examinados. Aqueles que os interrogavam perguntaram-lhes de onde vinham, para onde iam e o que faziam ali, vestindo trajes tão incomuns. Os dois lhes disseram que eram peregrinos, estrangeiros no mundo, que se dirigiam para a própria pátria: a Jerusalém celestial (Hb 11.13-16) e que não deram motivo para os habitantes ou os

---

[116] Cf. Ef 5.11, ARA. (N.T.)

mercadores da cidade os insultarem. Disseram aos interrogadores que chegaram a pedir para os deixarem seguir viagem, mas os comerciantes insistiam em oferecer-lhes o que comprar; por isso, responderam que só queriam comprar a verdade. Os juízes, porém, ao ouvirem suas justificativas, não acreditaram neles e os acusaram de desordeiros e loucos vindos à cidade com o único objetivo de causar confusão. Por conseguinte, eles os surraram e os sujaram de lama, depois os encerraram numa gaiola, para servirem de espetáculo aos feirantes [...]

Ali permaneceram por um tempo, e foram objeto de diversão, maldade e vingança para qualquer homem, enquanto o responsável por todo o comércio e seu funcionamento ria-se de tudo o que lhes acontecia.

Os peregrinos viajam como suspeitos pela Feira da Vaidade. Não apenas estamos sob vigilância, mas há mais espiões do que nos damos conta. A espionagem está em toda parte, dentro e fora de casa. Se cairmos nas mãos dos inimigos, podemos antes esperar vir generosidade de um lobo ou mercê de um demônio do que qualquer coisa como paciência com nossas fraquezas por parte de homens que apimentam sua infidelidade para com Deus com escândalos contra Seu povo. Viva uma vida piedosa e graciosa, e você não escapará da perseguição. Você pode estar em felizes condições, vivendo entre cristãos sérios e, assim, escapar da perseguição; mas tome o cristão comum, e ele enfrentará dificuldades se for fiel. O ímpio injuriará aqueles que são fiéis ao Senhor Jesus. Os cristãos são ridicularizados na oficina, são apontados na rua, e um infamante nome é disparado contra eles. A perseguição atua como uma peneira de joeirar, e aqueles leves como a palha são levados pelo vento; mas os que são o grão de verdade permanecem e são purificados. Indiferente à estima do homem, o verdadeiramente temente a Deus aguenta firme em seu caminho e teme o Senhor para sempre.

"De tudo o que se tem ouvido, a suma é:"[117] Meu desejo é que as igrejas sejam mais santas. Entristeço-me de ver tanto de conformidade com o mundo. Quão frequentemente a riqueza leva o homem a se desviar; quantos cristãos seguem a moda deste mundo iníquo. Ai!, com toda minha pregação, muitos vagueiam e tentam ser membros da Igreja e cidadãos do mundo também. Temos entre nós professos amantes de Cristo que agem demais como "amantes do prazer".

É uma coisa vergonhosa para quem professa o cristianismo ser encontrado naqueles salões de música, tabernas e lugares de folia onde não se pode ir sem ter seus costumes poluídos, pois não é possível abrir nem os olhos nem os ouvidos sem saber de imediato que se está nas cercanias de Satanás.

Eu o exorto pelo Deus vivo, se você não consegue manter boa companhia e evitar o círculo de devassidão, não professe ser seguidor de Cristo, pois Ele ordena que você saia do meio deles e seja separado. Se você encontra prazer na sociedade despudorada e nos cânticos lascivos, que direito tem de se misturar à comunhão dos santos ou de se juntar à cantoria de salmos?

Mantenha a melhor companhia. Permaneça muito com aqueles que estão muito com Deus. Que sejam para você os preciosos companheiros aqueles que fizeram de Cristo seu mais precioso companheiro; que o amor de Cristo seja o seu amor. Com quem devem os crentes estar, senão com crentes? Nosso provérbio inglês diz: "Pássaros da mesma plumagem voam juntos". Ver um santo e um pecador se associando é ver os vivos e os mortos tendo uma casa juntos. É melhor estar com Lázaro em trapos do que com o Rico em mantos. Habite onde Deus habita. Faça de seus companheiros sobre a terra aqueles que serão seus companheiros no céu.

Uma igreja profana é inútil para o mundo e de nenhuma estima entre os homens. É uma abominação, motivo de risos no inferno e aversão

---
117 Ec 12.13, ARA. (N.T.)

no céu. Os piores males que já sobrevieram ao mundo foram trazidos por uma Igreja profana. Ó Cristão, os votos do Senhor estão sobre você. Você é sacerdote de Deus: aja como tal. Você é o rei de Deus: reine sobre suas concupiscências. Você é escolhido por Deus: não se associe a Belial. O céu é sua porção: viva como um espírito celestial. Dessa feita, você provará que tem verdadeira fé em Jesus, pois não pode haver fé no coração a menos que haja santidade na vida.

> Senhor, desejo viver como alguém
> Que carrega um nome comprado por sangue;
> Como alguém que teme somente Te entristecer,
> E não conhece outra vergonha além dessa.

CAPÍTULO 15

CUIDADO COM O ADULADOR

Quando Cristão e Esperançoso deixaram as Montanhas Deleitantes para prosseguir seu caminho em direção à Cidade Celestial, os pastores lhes disseram que se acautelassem contra o Adulador. Eles aprenderam depois, pela experiência, a tolice que é negligenciar esse conselho, pois a história segue-se assim:

Caminharam até chegar num lugar onde viram a estrada se abrir em duas, ambas com aparência de serem corretas, o que os fez ponderar a escolha. Não sabiam qual dos caminhos tomar, portanto decidiram parar para pensar a respeito. Enquanto pensavam sobre o caminho, aproximou-se deles um homem cuja carne era mui negra, mas estava coberto por uma capa claríssima, que lhes perguntou o que faziam ali. Os peregrinos responderam que se dirigiam à Cidade Celestial, mas não sabiam ao certo qual dos dois caminhos haveriam de tomar. "Segui-me", disse o homem, "também me dirijo para lá". Então, Cristão e Esperançoso seguiram-no pelo caminho que decidiu tomar, mas, conforme iam caminhando, perceberam que faziam curvas e mais curvas, pouco a pouco afastando-se da cidade onde desejavam chegar. Mesmo apercebidos da situação, continuaram a segui-lo. Pouco tempo depois, sem que se dessem conta, o homem os havia levado para dentro do alcance de uma rede, na qual viram-se presos e não sabiam o que fazer. Com isso, a capa branca desprendeu-se das costas do homem negro. Então, viram onde estavam e choraram algum tempo, pois não conseguiam sair dali.

CRISTÃO: Agora vejo onde erramos. Não nos alertaram os Pastores quanto aos Aduladores? Agora nos encontramos como diz o sábio: "O homem que lisonjeia a seu próximo arma-lhe uma rede aos passos" (Pv 29.5)

ESPERANÇOSO: Os Pastores também nos deram diretrizes acerca do caminho, para termos a certeza de não nos desviarmos. Mas nos esquecemos de lê-las e não pudemos evitar os caminhos do destruidor. Nisso Davi foi mais sábio que nós, pois disse: "Quanto às ações dos homens, pela palavra dos teus lábios, eu me tenho guardado dos caminhos do violento" (Sl 17.4).

Assim ficaram, lamentando-se, presos à rede.

Essa não é uma imagem de uma tentação para se desviar completamente do bom caminho. O caminho do destruidor parecia correr em paralelo ao que eles deveriam ter seguido. Também não fizeram algo impensado, mas consultaram um ao outro. Nisso estavam errados, pois deviam ter consultado o Livro de instruções. Em seguida, eles foram enganados por um cavalheiro de aparência agradável, que parecia como um servo do Rei dos reis, e que lhes falou suavemente, assegurando-lhes que, uma vez que ele mesmo seguia em destino à Cidade Celestial, poderia levá-los para lá. Sua pronúncia conquistadora fez com que eles se rendessem à sua orientação; e, pouco a pouco, a face dos peregrinos virou-se para longe da cidade em direção à qual anteriormente se apressavam. Veja você, não é um caso de escolha deliberada do pecado, mas, antes, de ser iludido por negligenciar a Palavra de Deus, que é o verdadeiro guia do peregrino.

Há bajuladores desse tipo em nosso próprio coração. Com frequência acontece, em nossa experiência, estarmos vivendo em simples dependência do Senhor Jesus Cristo, que é o caminho reto e estreito que conduz à vida eterna, e, pouco a pouco, talvez pela leitura da experiência de um grande homem, pensamos: "Bem, deve ser correto sentir como ele sentiu, duvidar como duvidou, ser levado para lá e para cá como ele foi". Há uma outra estrada, e começamos a pensar que está tudo bem viver por sentimentos. O Adulador não nos diz com todas as letras para desistirmos da fé em Cristo, e Nele somente. Nós o reconheceríamos e ficaríamos chocados se o fizesse; mas ele insinua que podemos andar um pouco pelos nossos próprios santos sentimentos. Não somos mais crianças como éramos, nós crescemos alguma coisa na graça; podemos agora nos apoiar um pouco no passado, não há mais a mesma necessidade diária de depender de Cristo; por que não descansar no que foi desfrutado na conversão e integrar, se necessário, com algum sentimento e disposição atuais, poder presente em oração ou utilidade presente na obra do Senhor?

O sr. Adulador sabe bem que, quando estamos mais santificados, há motivos suficientes para lamentar todos os dias de nossa vida. Ele sabe que aqueles que mais se parecem com Jesus estão muito, muito longe de ser como Ele. Há muito mais razão para lastimar nossa pecaminosidade do que admirar nossa santidade. Como, pois, recebemos o Senhor Jesus Cristo, assim também devemos andar nele[118]. Ainda assim,

---

118 Cf. Cl 2.6. (N.T.)

nós nos apoiamos apenas nos méritos Dele. Se começar a andar por si mesmo, ainda que só um pouco, logo verá que esse caminho leva você, insensivelmente, a uma legalidade tal, que tentará, se não de fato salvar-se, manter-se salvo pelas obras da lei. Em pouquíssimo tempo, o crente que faz isso cairá na rede. Ele encontrará as pontadas do inferno, por assim dizer, apossando-se dele; encontrará tribulação e tristeza. Quando é apanhado em uma rede, o pássaro tenta sair dessa e daquela maneira. Ele pode quebrar as asas, mas não consegue escapar, antes enreda-se mais completamente. Da mesma forma a alma que abandonou a fé simples para viver dependendo das próprias obras, dos próprios sentimentos e experiências, tentará em vão obter alívio. Ela está em servidão legal. Os Dez Mandamentos são suficientes para fazer uma rede pesada quando se torcem em volta do pecador que os quebrou. À parte do sangue de Jesus Cristo, quem pode ter esperança de escapar de uma consciência desperta? Assim é o cristão pego em uma rede quando o Adulador, que vive em sua alma, tenta-o à justiça própria e a abandonar o Senhor. Lutero costumava dizer: "Você precisa temer o diabo negro metade do que precisa temer o branco". O diabo branco da justiça própria é mais perigoso para o cristão do que o próprio diabo negro do pecado aberto. Quando o pecado aberto nos tenta, sabemos que é pecado, e somos ajudados a abandoná-lo. Mas, muitas vezes, o diabo branco parece ser um anjo de luz; e, sob a roupagem de buscar santificação ou almejar perfeição, somos tentados a deixar nossa confiança infantil no Senhor. Nesse caminho está a rede!

Existem tantas outras redes que eu nem deveria preocupar-me de contá-las. Vocês, jovens convertidos, podem se encontrar com uma pessoa que lhes diga:

– Ouvi dizer que você se converteu, fico feliz com isso; mas onde congrega?

– Ah, em tal e tal lugar!

– Oh! você não deveria ir lá; é muito bom para algumas coisas, mas há verdades mais elevadas que jamais aprenderá lá; você deve vir conosco e ouvir como podemos lhe explicar as profecias.

E, assim, sob o pretexto de desejar que você ouça a verdade profética, eles o levarão a uma nova forma de erro.

Outros tentarão convencê-lo a admirar com eles os esplendores de formas e cerimônias externas. Quantos incautos foram, assim, seduzidos pelo ritualismo e romanismo! Alguns outros dirão: "Ah, vocês não deviam ter ministros!". Eles fazem pouco caso dos pastores do Senhor, que são encontrados nas Montanhas Deleitantes, e instam para que você vá aonde todo mundo ensina todo mundo. Eles são o povo de Deus; não são uma seita, embora sejam dez mil vezes mais intolerantes do que qualquer seita que já existiu. Cuidado, rogo-lhe, com qualquer forma de doutrina ou prática que o conduz para longe do lugar onde você nasceu para Deus, onde foi nutrido em Cristo, onde foi feito útil e foi ajudado a avançar na vida divina. Há certas seitas que só vivem de roubar membros de outras igrejas, enquanto o objetivo de uma igreja cristã deveria ser ganhar almas diretamente do mundo. Esses Aduladores, pois geralmente o são, irão dizer-lhe que você é muito experiente para sentar-se sob o ministério ordinário; você é útil demais ou espiritual demais para permanecer em tal congregação. Se os escutar, você logo descobrirá que a escassez entrou em sua alma e que está preso na rede, pois foi atraído para longe da verdade como ela está em Jesus, levado por algum credo inventado pelo homem.

Eu alertaria nossos jovens membros especialmente contra aquela forma de fé que defende apenas metade da Bíblia; contra aqueles que proclamam a eleição divina, mas ignoram a responsabilidade humana, e que pregam elevada doutrina, mas têm pouco ou nada a dizer sobre a prática cristã. Estou convencido de que esta é outra rede do Adulador, e tenho visto muitos sendo pegos por ela.

Eles deixaram todo o cuidado com a alma dos outros, tornaram-se indiferentes se as crianças estão perecendo ou sendo salvas; estão apegados à borra do vinho[119], comem as gorduras e bebem as doçuras, e passaram a achar que foram redimidos só para isso. Sua compaixão falhou; eles não têm olhos chorosos pelos pecadores que perecem; na verdade, pensam que isso é um sinal de ser infundada a preocupação sobre salvar os pecadores. Que Deus o guarde de ser lisonjeado para dentro dessa rede, para que não traspasse a si mesmo com muitas dores[120]! À Bíblia apenas você deve olhar. Passe todas as novas ideias pela seguinte prova: "À lei e ao testemunho!"[121]. Exija um "Assim diz o Senhor" de toda noção lisonjeira. O Livro antigo é nosso guia infalível.

Agora, leiamos a passagem em que Bunyan descreve a libertação dos peregrinos da rede.

> Por fim, avistaram um dos Seres Reluzentes vindo em sua direção com um pequeno chicote na mão. Ao se aproximar do lugar onde estavam os peregrinos, perguntou-lhes de onde vieram e o que faziam ali. Responderam que eram pobres peregrinos a caminho de Sião, mas que haviam se desviado do caminho por seguirem um homem negro vestido com uma capa branca, o qual havia dito que o seguissem, pois também se encaminhava para lá. Então, disse o Ser Reluzente: "Trata-se de Adulador. É um falso apóstolo que se transformara num anjo de luz" (Pv 29.5; Dn 11.32; 2Co 11.13,14). Em seguida, rompeu a rede e os libertou, dizendo-lhes: "Segui-me para que vos conduza ao caminho reto outra vez". E os guiou novamente ao caminho que deixaram para seguir o Adulador. Perguntou-lhes Reluzente: "Onde passastes a última noite?". E os peregrinos responderam: "Nas Montanhas

---

119 Cf. Sf 1.12, ARA. (N.T.)
120 Cf. 1Tm 6.10. (N.T.)
121 Is 8.20. (N.T.)

Deleitantes, junto aos Pastores". Foram, então, questionados se não receberam dos Pastores instrução acerca do caminho. Os dois responderam que sim. "Mas tirastes o papel do bolso para ler enquanto pensáveis no caminho a seguir?", perguntou Reluzente. E os peregrinos responderam: "Não, pois nos esquecemos". Perguntou-lhes, ainda, se os Pastores não lhes haviam alertado sobre os Aduladores. "Sim, mas não imaginamos que um homem de tão bela fala seria um deles" (Rm 16.18).

Vi, então, em meu sonho que o Ser Reluzente ordenara aos peregrinos que se deitassem. Quando o fizeram, castigou-os severamente para lhes ensinar o bom caminho em que deveriam andar (Dt 25.2) e, enquanto o fazia, disse-lhes: "Eu repreendo e disciplino a quantos amo. Sede, pois, zelosos e arrependei-vos" (2Cr 6.26,27; Ap 3.19). Feito isso, ordenou-lhes que seguissem caminho e prestassem atenção às diretrizes dos Pastores. Os peregrinos agradeceram-lhe por sua bondade e seguiram tranquilamente pelo caminho reto, cantando:

> Achegai-vos, vós que andais pelo caminho reto,
> Vede como os peregrinos desviaram-se decerto.
> Numa enorme rede encontraram-se enrolados,
> Esqueceram-se de praticar os conselhos dados.
> Um Ser Reluzente, então, livrou-os do tal perigo,
> E para que fossem cautelosos, aplicou-lhes castigo.

Quando um Cristão entra na rede da justiça própria, com certeza será liberto porque pertence ao Senhor, que não permitirá que ele seja destruído. Mas o Reluzente, que vem para libertá-lo da rede, certamente trará um flagelo de pequenas cordas Consigo e o castigará, de novo e de novo, até que ele esteja pronto a caminhar humildemente com seu Deus. Ai! Quão rápido adquirimos um olhar altivo e uma postura orgulhosa! Sonhamos que não precisamos rastejar até os pés da cruz, como os outros pecadores. Ouvi alguém dizer que não orava por perdão dos pecados há doze meses; ele tivera seus pecados perdoados anos atrás. Mas, quando o Senhor nos dá uma boa dose de amargura e nos faz beber das águas de Mara, pedimos para ser lavados como Pedro fez ao mudar de ideia, dizendo: "Senhor, não só os meus pés, mas também as mãos e a cabeça"[122]. Então sentimos a necessidade de aplicação diária do precioso sangue e ficamos prontos a nos colocar junto ao pobre publicano, e dizer: "Ó Deus, tem misericórdia de mim, pecador!"[123] Temos de ser castigados para nos manter humildes. Um bom e velho compatriota, agora no Céu, disse-me, enquanto eu caminhava com ele no campo onde ele lavrava, há muitos anos: "Ah, mestre Spurgeon, se eu ficar um centímetro acima do chão, fico um centímetro alto demais e tenho de descer de novo". Nós também. Precisamos nos agarrar à fé que reconhece que Cristo é nosso Tudo-em-todos. Se o Adulador nos desviar, ai de nós. Assim será, creio eu, com homens e mulheres cristãos que, depois de ter recebido uma bênção em qualquer igreja, são induzidos a se desviar dela. "Qual a ave que vagueia longe do seu ninho, tal é o homem que anda vagueando longe da sua morada."[124] Muitos tais foram bem castigados e tiveram de retornar à antiga igreja, e regozijaram-se uma vez mais de se sentar com o povo do Senhor com quem tiveram alegre comunhão em dias passados.

---

122   Jo 13.9. (N.T.)
123   Lc 18.13. (N.T.)
124   Pv 27.8. (N.T.)

CAPÍTULO 16

O TERRENO ENCANTADO

Como guia espiritual do rebanho de Deus ao longo dos intrincados labirintos da experiência, é dever do ministro do Evangelho apontar cada curva na estrada para o Céu, falar a respeito dos perigos e privilégios e alertar a qualquer um que ele suspeite estar em uma posição particularmente perigosa. Ora, há uma parte da estrada que leva da Cidade da Destruição à Cidade Celestial, que tem em si, talvez, mais perigos do que qualquer outra parte do caminho. Não está repleta de leões, não há dragões nela, não tem bosques escuros nem abismos profundos; contudo, mais aparentes peregrinos foram destruídos naquela parte da estrada do que em qualquer outro lugar; e nem mesmo o Castelo da Dúvida, com todas suas hostes de chifres, pode mostrar tantos mortos ali. Essa é a parte da estrada chamada de Terreno Encantado. John Bunyan assim a retratou:

Vi em meu sonho que caminharam até chegar a certo país, cujo ar naturalmente fazia um estrangeiro tornar-se sonolento. Ali, Esperançoso começou a ficar entorpecido e pesado de sono, pelo que disse a Cristão:

ESPERANÇOSO: Estou tão sonolento nesse momento que mal consigo manter abertos meus olhos; deitemo-nos aqui para um breve descanso.

CRISTÃO: De forma alguma! Se dormirmos aqui, nunca mais acordaremos.

ESPERANÇOSO: Por que, irmão? Doce é o sono para o trabalhador; acordaremos renovados se dormirmos agora.

CRISTÃO: Lembras que um dos Pastores avisou-nos acerca do Terreno Encantado? Ao dizê-lo, quis alertar-nos a evitar o sono; "Assim, pois, não durmamos como os demais; pelo contrário, vigiemos e sejamos sóbrios" (1Ts 5.6).

Sem dúvida, muitos de nós estão passando por essa planície; e temo que essa seja a condição da maioria das igrejas nos dias atuais. Elas estão deitadas nos bancos da mornidão, nos caramanchões do Terreno Encantado. Não existe aquela atividade e aquele zelo que desejaríamos ver entre elas; não são, talvez, notavelmente heterodoxas; podem não ser invadidas pelo leão da perseguição; mas estão deitadas para tirar um cochilo, como Desatento e Atrevido no caramanchão Amigo Ocioso. Deus conceda que seus servos sejam os meios de despertar a Igreja de sua letargia e sacudi-la de seu sono, para não suceder que os que professam a fé venham a dormir o sono da morte!

Deixe-me retratar para você o estado de um cristão adormecido.

Quando um homem está dormindo, ele é insensível. O mundo segue em frente e ele não sabe de nada. O vigia chama sob sua janela, mas ele não o ouve. Um incêndio assola em uma rua vizinha, ou a casa do vizinho está virando cinzas, mas ele está dormindo e não tem consciência da calamidade. As pessoas estão doentes na casa em que mora, mas isso não o desperta; elas podem morrer, mas ele não pranteia por elas. Uma revolução pode estar em andamento nas ruas da cidade, um rei pode estar perdendo a coroa, mas ele, que está adormecido, não toma parte no tumulto da política. Um vulcão pode explodir em algum lugar perto e ele pode estar em iminente perigo; mas ele não experimenta medo; dorme profundamente, está inconsciente. Os ventos estão uivando, os trovões estão cortando o céu e os relâmpagos passam por sua janela; mas ele, que consegue continuar dormindo, não se importa com nada disso; ele está insensível a tudo isso. A música mais doce está ecoando pela rua; mas ele dorme, e apenas em sonhos ouve a doçura. Os lamentos mais terríveis podem assaltar-lhe os ouvidos; mas o sono selou-os com a cera do sono, e o homem não escuta. Que o mundo se quebre e os elementos se arruínem, ainda dormindo, ele não o perceberá.

Cristão adormecido, contemple uma imagem de sua condição. Você não lamentou algumas vezes a própria insensibilidade? Desejava poder sentir, mas tudo que sentia era a dor de não conseguir sentir. Desejava poder orar. Não era que se sentisse sem ter uma oração, você não sentia nada. Outrora costumava suspirar, daria um mundo se pudesse suspirar agora. Outrora costumava gemer, um gemido agora valeria uma estrela dourada, se você pudesse comprá-lo. Quanto às músicas mundanas, você consegue cantá-las, mas seu coração não as acompanha. Vai à casa de Deus, mas quando a multidão, que guarda o dia santo, envia, no calor da canção, música para o céu, você a ouve, mas seu coração não salta a seu som. A oração sobe solenemente ao trono de Deus, como a fumaça do sacrifício da tarde; outrora, você também conseguia orar, mas agora, conquanto seu corpo esteja na casa de Deus, seu coração está em outro lugar. Você se tornou como um formalista; sente que não há aquele sabor, aquela unção na pregação, como costumava haver. Não há diferença em seu ministro, sabe disso; a mudança está em você. Os hinos e as orações são exatamente os mesmos, mas você caiu em um estado de sonolência. Outrora, se pensava em um homem sendo condenado, você sentia como se pudesse derramar a própria alma em lágrimas; mas, agora, pode sentar-se à beira do inferno e ouvir impassível os gemidos dele. Outrora, o pensamento de restaurar um pecador do erro de seus caminhos o faria ficar acordado na cama à meia-noite, e você se apressaria para o ar frio a fim de ajudar a resgatar um pecador. Agora, falam com você sobre multidões que perecem e você ouve como se fosse um conto antigo, antigo. Falam de milhares de pessoas sendo arrastadas pelo poderoso dilúvio do pecado em direção ao precipício da destruição e você expressa seus pêsames, dá sua contribuição, mas o coração não se agita dentro de si. Você precisa confessar que está insensível; talvez não inteiramente, mas insensível mais que o bastante.

Você quer ser acordado, mas geme porque se sente nesse estado de sonolência.

Uma vez mais, o sono é um estado de inação. Nenhum pão diário é obtido por quem dorme. O homem que fica estendido no sofá nem escreve livros, nem cultiva a terra, nem lavra o mar, nem faz qualquer outra coisa. Ele tem pulsação, então está vivo; mas está praticamente morto quanto à atividade. Ai, meus amados! Esse é o estado de muitos de vocês. Quantos cristãos estão inativos! Outrora tinham prazer em instruir os jovens nas aulas de sábado, mas desistiram disso. Outrora participavam da reunião de oração pela manhã, mas não vão mais lá. Outrora rachavam lenha e tiravam água, mas, infelizmente, estão dormindo agora. Estou falando do que possivelmente acontece? Será que isso não é muito verdadeiro quase universalmente? As igrejas não estão dormindo? Onde estão os ministros que realmente pregam? Temos homens que leem dissertações, mas isso é pregação? Temos homens que conseguem entreter uma audiência por vinte minutos, mas isso é pregação? Onde estão os homens que pregam o próprio coração e colocam a própria alma em cada sentença? Onde estão os homens que fazem disso não uma profissão, mas uma vocação, o fôlego em seu corpo, a medula em seus ossos, o deleite de seu espírito? Onde estão os Whitefields e Wesleys agora? Onde está o Rowland Hill de agora, que pregava todos os dias, três vezes ao dia, e não tinha medo de pregar em todo lugar as riquezas insondáveis de Cristo? Irmãos, a igreja cochila. Não é só que o púlpito seja uma guarita com o sentinela dormindo profundamente, mas os bancos também são afetados. Por que as reuniões de oração são quase universalmente negligenciadas? Onde está o espírito de oração, onde está a vida de devoção? Não estão quase extintos? Nossas igrejas não estão "caídas, caídas, caídas de suas terras altas"? Deus os desperte e lhes envie homens mais fervorosos e de oração!

O homem dormindo também está em um estado de insegurança. O assassino fere aquele que dorme; o ladrão da meia-noite saqueia a casa daquele que descansa languidamente em seu travesseiro. Jael fere um Sísera adormecido. Abisai toma a lança do lado de um Saul adormecido. Um Êutico sonolento cai do terceiro andar e é levantado morto. Um Sansão dormente é despojado de seus cabelos e os filisteus vêm sobre ele. Homens adormecidos estão sempre em perigo, eles não podem repelir o golpe do inimigo nem atacar em defesa própria. Cristão, se tu estás dormindo, estás em perigo. Tua vida, eu sei, jamais pode ser tirada de ti, pois está escondida com Cristo em Deus. Mas, oh!, podes perder a lança de teu lado; podes perder muito de tua fé; e tua botija de água, com a qual umedeces teus lábios, pode ser roubada pelo ladrão que ronda. Pouco conheces o teu perigo. Acorda, tu que dormes! Começa a partir do lugar onde agora te deitas em tua insegurança. Este não é o sono de Jacó, no qual uma escada une o Céu e a terra, e anjos sobem por ela; mas é o sono em que as escadas são erguidas do inferno e os demônios sobem do abismo para apossar-se do espírito adormecido.

Cristão dormente, deixa-me gritar em teus ouvidos: tu dormes enquanto almas se perdem, dormes enquanto homens são condenados, dormes enquanto o inferno é povoado, dormes enquanto Cristo é desonrado, enquanto o diabo ri de teu rosto sonolento, dormes enquanto os demônios dançam em volta de tua carcaça adormecida, dizendo no inferno que um cristão está adormecido. Tu nunca pegarás o diabo dormindo; não deixes o diabo te pegar dormindo. Vigia e sê sóbrio, para que estejas sempre pronto a cumprires teu dever.

Um cristão está mais propenso a dormir quando suas circunstâncias temporais são boas. Quando seu ninho está bem emplumado, aí, então, é mais provável que você durma; existe pouco risco de dormir quando se tem galhos com espinhos na cama. Quando seu sofá é macio, então é mais provável que você diga: "Alma, tens em depósito muitos bens para muitos anos; descansa, come, bebe e folga"[125]. Deixe-me perguntar a alguns de vocês: quando estavam numa situação sem recursos, quando tinham de confiar na providência a cada hora e tinham problemas para levar ao trono da graça, vocês não estavam mais despertos do que agora? O moleiro que tem a roda girada por um ribeiro constante vai dormir; mas aquele que depende do vento, que ora sopra com força e ora suavemente, não dorme, com receio de que não haja vento suficiente para fazê-la girar. Estradas fáceis tendem a nos deixar sonolentos. Poucos dormem em uma tempestade; muitos dormem em uma noite calma. Por que a igreja está adormecida agora? Ela não dormiria se Smithfield estivesse com estacas e fogueiras, se os sinos de São Bartolomeu badalassem em seus ouvidos[126]; não dormiria se as Vésperas Sicilianas[127] pudessem se dar amanhã à noite; não dormiria se massacres fossem comuns agora. Mas, qual é a condição dela? Todo homem se senta debaixo de sua videira e debaixo de sua figueira, e não há quem se atreva a espantá-lo[128]. Pise com leveza, ela dorme profundamente!

---

125 Lc 12.19. (N.T.)
126 As referências ao distrito de Smithfield e à Igreja de São Bartolomeu parecem se tratar da mesma coisa. Sendo uma das mais antigas catedrais de Londres, São Bartolomeu fica nos arredores de Smithfield, conhecido por ser cenário de diversas execuções, dentre elas de alguns protestantes sob a acusação de hereges. (N.T.)
127 Revolta que, em 1282, com ajuda militar, financeira e política do papa Clemente IV, depôs o rei da Sicília, Carlos I d'Anjou, que era de origem francesa. (N.T.)
128 Cf. Mq 4.4. (N.T.)

Outro momento perigoso é quando tudo vai bem em assuntos espirituais. Você não lê que Cristão dormiu enquanto os leões estavam no caminho, nem quando ele estava atravessando o rio da morte, nem quando estava no castelo do Gigante Desespero nem durante sua luta com Apoliom. Pobre criatura! Quase desejava poder dormir então. Mas, quando chegou na metade da Montanha Dificuldade e viu um belo caramanchãozinho, ele foi e se sentou, e começou a ler seu rolo. Ah, como ele descansou! Como tirou as sandálias e esfregou os pés cansados! Dentro em pouco, sua boca estava aberta, seus braços pendiam e ele dormia profundamente. Uma vez mais, o Terreno Encantado era um lugar tranquilo e fácil, passível de colocar o peregrino para dormir. Você se lembra da descrição de Bunyan de um dos caramanchões:

> Encontraram então um caramanchão. Era um lugar aconchegante, uma promessa de alívio para os peregrinos. Apresentava um bom aspecto externo, embelezado com folhas verdes, equipado com bancos, assentos e um sofá macio, onde os exaustos podiam se recostar [...] O caramanchão se chamava Amigo Ocioso, e buscava sempre atrair alguns dos peregrinos com a falsa promessa de descanso.

Pode confiar, é em lugares fáceis que os homens fecham os olhos e vagueiam pela onírica terra do esquecimento. O velho Erskine disse bem quando comentou: "Prefiro um diabo rugindo do que um diabo adormecido"[129]. Não há tentação tão ruim quanto não ser tentado. A alma angustiada não dorme; é depois de termos confiança e plena garantia que corremos o risco de cochilar. Toma cuidado, tu que estás cheio de alegria. Não há época em que estejamos tão suscetíveis a adormecer quanto àquela de alto prazer. Presta atenção, jubiloso cristão, as

---

[129] Provável referência a Ebenezer Erskine (1680–1696), célebre teólogo e fundador da igreja da Secessão na Escócia. (N.T.)

boas disposições de ânimo são muito perigosas, muitas vezes elas levam a um sono profundo.

Um dos lugares em que é mais provável dormirmos é quando chegamos perto do fim de nossa jornada. O guia dos peregrinos disse a Cristiana:

Este Terreno Encantado é um dos últimos pontos estratégicos do inimigo. Ele se localiza, como a senhora vê, quase no final do caminho, erguendo-se, portanto, contra nós com mais força. O raciocínio do inimigo é este: "É lógico que esses tolos estarão mais desejosos de descansar quando se sentirem exaustos; e que momento mais propício à exaustão do que o trecho final da jornada?".

É por isso que o Terreno Encantado fica tão próximo da Terra de Beulá, tão perto do final dessa corrida. É bom, portanto, que os peregrinos vigiem a si mesmos, para que não lhes aconteça o que se fez a esses dois, que, como a senhora pode ver, estão adormecidos, sem que ninguém possa acordá-los.

É bem verdade que aqueles que estão há anos em graça correm maior risco de cochilar. De alguma forma, entramos na rotina da observância religiosa; é costume irmos à casa de Deus, é habitual pertencermos à igreja, e isso por si só tende a deixar as pessoas sonolentas. Se estamos sempre seguindo a mesma estrada, somos passíveis de dormir. Se Moabe está descansado, e não é trocado de vasilha para vasilha, ele dorme, pois não conhece mudanças[130]; e, quando os anos diminuem o valor de nossa estrada com um marasmo de piedade, estamos suscetíveis a soltar as rédeas no pescoço do cavalo e dormir profundamente.

---
130 Cf. Jr 48.11. (N.T.)

O que deve ser feito para garantir a vigília ao atravessar o Terreno Encantado? Um dos melhores planos é manter uma companhia cristã e conversar sobre os caminhos do Senhor.

CRISTÃO: Agora, para que possamos afastar o sono, façamos proveito de uma boa conversa.
ESPERANÇOSO: Estou completamente de acordo.
CRISTÃO: Por onde devemos começar?
ESPERANÇOSO: Onde Deus começou conosco.

Não há assunto tão propício para manter um homem piedoso acordado como falar do lugar onde Deus começou com ele. Quando cristãos conversam juntos, não vão cair no sono juntos. Mantenha uma companhia cristã, e você não ficará tão propenso a cochilar. Os cristãos que se isolam e ficam sozinhos estão muito suscetíveis a deitar-se no banco ou no sofá macio e dormir; mas, se vocês conversarem muito juntos, como eles fizeram nos velhos tempos, descobrirá que isso é extremamente benéfico. Dois cristãos que conversam sobre o caminho do Senhor chegarão mais rápido ao Céu do que um sozinho; e, quando uma igreja inteira se une ao falar da bondade amorosa do Senhor, verdadeiramente, amado, não há nada como isso para se manter acordado.

CAPÍTULO 17

COMO O SR. TEMEROSO SE SAIU

Alguns de vocês conhecem o sr. Temeroso muito bem, pois ele viveu em sua casa e, talvez, seja mesmo um parente muito próximo seu. Quando o sr. Grande-Coração, que representa o ministro de Cristo que é bem ensinado e forte em graça, caminhava junto com o Pai Honesto, que representa um cristão idoso, experiente e sóbrio, John Bunyan nos conta:

O guia perguntou ao velho cavalheiro se ele não conhecia um certo sr. Temeroso que saíra em peregrinação vindo daqueles lados.

HONESTO: Conheço, sim, muito bem. Era um homem que tinha em si o essencial, mas também um dos peregrinos mais problemáticos que já encontrei em toda minha vida.

Essa é uma descrição exata de muitos que estão na estrada para o Céu. Eles são completamente sinceros, ninguém pode duvidar disso, mas são "nervosos demais". Acho que é assim que os descrevem: "Duvidosos demais, receosos demais, desconfiados demais, carregados de dúvidas e medos demais" seria, talvez, um veredito mais verdadeiro. Surpreende, então, que estejam entre os "peregrinos mais problemáticos" que se pode achar? Bunyan nos dá um diálogo adicional a respeito do sr. Temeroso:

> GRANDE-CORAÇÃO: Vejo que o conhecia, pois o senhor deu uma descrição bem precisa dele.
> HONESTO: Se o conheço!? Era grande companheiro dele, e segui com ele boa parte do caminho. Também estava com ele quando começou a refletir sobre o que nos viria depois desta vida.
> GRANDE-CORAÇÃO: Eu fui o guia dele desde a casa do meu Mestre até as portas da Cidade Celestial.
> HONESTO: Então você percebeu que era um homem problemático...
> GRANDE-CORAÇÃO: De fato. Mas tolerei isso bem, pois o meu ofício volta e meia me encarrega de conduzir gente como ele.

O ministro de Cristo não deve pensar que o mais temeroso seja o mais problemático; mas, como é seu encargo ajudar os tímidos e, instrumentalmente, livrá-los de sua angústia, ele deveria ficar alegre ao descobrir esses de mente fraca e procurar prestar-lhes um favor, por amor ao Mestre.

> HONESTO: Ora, peço que nos conte um pouco dele, de como se saiu sob sua orientação.
> GRANDE-CORAÇÃO: Ora, ele vivia sempre com medo de não conseguir chegar aonde pretendia.

Esse é um grande medo que assombra a muitos: o medo de que, ao final, sejam reprovados, de que se mostrem hipócritas, de que decaiam da graça, de que sejam tentados acima do que podem suportar; de que, em alguma hora má, sejam abandonados por Deus Espírito Santo, ou sejam abandonados pelo Senhor Jesus, e, assim, caiam em grande pecado e, por fim, pereçam. Esse é um medo que assombra dezenas de milhares.

Tudo o assustava. Qualquer coisa que alguém falasse que tivesse a menor aparência de contrariedade.

Ainda nos encontramos com alguns desses. Não dá para falar com uma pessoa assim sobre as tristezas da vida do Cristão, que ela já diz: "Jamais serei capaz de suportar isso". Se você fizer menção aos conflitos, ela responde: "Tenho certeza de que nunca serei bem-sucedido em minha luta até o Céu". Se ouve falar de alguém que se desviou, ela exclama: "É bem isso que farei; certamente é o que acabará acontecendo comigo". Se alguma vez já conversou com essas pessoas, sabe como é difícil descrevê-las, pois são tão soturnas que parecem escurecer mesmo o sol ao meio-dia.

Ouvi falar que ficou urrando no Pântano do Desalento por quase um mês inteiro, pois não ousava arriscar-se, apesar de todos os que via seguir adiante, muitos dos quais lhe ofereceram a mão.

Pobre alma! Lá ficou ele "urrando", como diz Bunyan; isto é, suspirando, chorando, lamentando a si mesmo. Ele não conseguia arrancar coragem para atravessar, mas ficou lá por quase um mês inteiro. Outros vieram, atravessaram em segurança e lhe ofereceram a mão, mas não adiantou. Você pode tentar ajudar esses desalentados, mas precisará de uma sabedoria superior à sua para lidar de modo efetivo com eles, pois deve-se admitir que eles são maravilhosamente obstinados, embora sejam muito fracos. Embora sejam tão incapazes quanto criancinhas, também são, frequentemente, tão voluntariosos quanto homens fortes, e se agarram aos próprios medos, não importa o que você faça para afastá-los deles. Algumas vezes eu saí à caça dessas pessoas, e, quando as tirava de um buraco, elas se enfiavam em outro. Eu pensava: "Agora peguei você, vou dar um fim a suas dúvidas desta vez", mas elas surgiam com outras no trimestre seguinte. Elas parecem muito engenhosas em inventar razões para suspeitas relativas a si mesmas. Quando todo mundo consegue ver algo de bom nelas, dizem: "Por favor, sem lisonjas; não tentem me enganar!".

Tampouco queria voltar atrás.

Ah, isso é o melhor! O sr. Temeroso não voltará atrás. Há alguns mais presunçosos, que partiram com coragem demais, mas eles viraram as costas no dia da batalha. O sr. Temeroso vai bem devagar, mas ele tem muita certeza. Ele não voltará atrás; sabe que não há esperança para ele lá, por isso irá ainda um pouco mais longe, embora esteja meio temeroso de se aventurar.

Dizia que morreria se não conseguisse chegar à Cidade Celestial e, no entanto, abatia-se a cada dificuldade e tropeçava em todo cisco que qualquer um lançasse em seu caminho. Bem, depois de ter permanecido no Pântano do Desalento por um bom tempo, como lhe contei, em uma certa manhã ensolarada, nem sei como, ele se aventurou a seguir em frente e, assim, superou aquele trecho. Mas, quando saiu, ele mal podia crer que havia conseguido.

Típico dele! Pode ser uma "manhã ensolarada" muito brilhante, quando alguma doce promessa ilumina-lhe a alma, quando o Espírito de Deus vem a ele como uma pomba, trazendo conforto em Suas asas. Então, o homem bom começa a sentir-se incomum e extraordinariamente forte para ele; assim, faz um movimento e atravessa os problemas, mas mal consegue crer que, de fato, os superou. Ele tem certeza de que afundará agora. Quando saiu do Pântano, o sr. Temeroso não conseguia entender como foi que fizera isso. Deve ter sido uma maravilhosa graça que tirou tal pobre pecador como ele, mas ele se sentia tão indigno, que estava convencido de que seria lançado fora naquele momento mesmo. Ele mal podia crer em seu coração que aquilo era verdade. Foi dito de Pedro, quando o portão de ferro da prisão abriu-se espontaneamente e ele achou-se na rua: "E não sabia que era real o que estava sendo feito pelo anjo, mas cuidava que via alguma visão"[131]. Da mesma forma, quando o sr. Temeroso consegue uma réstia de conforto, pensa que é bom demais para ser verdade.

Ele tinha, penso eu, um Pântano do Desalento dentro da cabeça, o qual sempre carregava consigo para todo o lugar, senão jamais seria como era. Assim, chegou à porta, aquela que, bem sabe o senhor, fica na entrada do caminho. Ali também ficou um bom tempo antes de se aventurar a bater.

Ele não se aventurava a orar. Foi dominado pelo medo no primeiro estágio da vida espiritual. Tinha no coração bater à porta da misericórdia, usar os meios de graça, inquirir sobre Cristo, mas a apreensão paralisava-lhe a mão e selava-lhe os lábios.

Quando a porta se abria, ele dava lugar a outros que vinham atrás, dizendo que não era digno.

---

[131] At 12.9. (N.T.)

Outros podem entrar, outros podem ter sucesso, mas ele era bastante indigno. A pobre alma estava perfeitamente certa. Ele não era de modo algum digno; mas, da mesma forma, ninguém é. Não batemos no portão porque somos dignos. Quando damos esmolas, gostamos de concedê-las a pessoas dignas, mas nosso Senhor Jesus Cristo ainda não encontrou nem um sequer que fosse digno de Sua misericórdia e, portanto, procura dá-la àqueles indignos, que estão prontos a confessar a própria necessidade.

Apesar de ter chegado à porta antes de outras pessoas, boa parte delas entrou primeiro. O coitado ficava ali em pé, tremendo, encolhido. Tampouco queria voltar atrás. Ouso dizer que era uma cena de cortar o coração de qualquer um.

Ele ainda tinha medo de orar e não conseguia achar que Deus o fosse ouvir; mas gemia e chorava, mesmo não conseguindo orar. Ademais, ele não voltava atrás. Não podia deixar de usar os meios de graça, embora não conseguisse imaginar haver algum conforto neles para si. Contudo, ele não os negligenciava. Não importava que a reunião de oração não o animasse, ele estaria presente; e, embora o sermão, pensava, não pudesse ser endereçado a alguém como ele, ainda assim o ouvia. Ah!, essas são estranhas atrações que o Senhor coloca no coração dos pobres, melancólicos e débeis, de modo que os atrai até contra a própria vontade, e os atrai com uma espécie de esperança desesperadora – ou um desespero esperançoso – bem para longe deles mesmo e em direção a Cristo.

Afinal, segurou na mão a aldrava que pendia na porta e deu uma ou duas pancadinhas.

Ele não se atreveu a fazer mais. Foi só "uma ou duas pancadinhas", algo como "Ó Deus, tem misericórdia de mim, pecador!", ou "Senhor, salva-me!".

Assim, alguém lhe abriu a porta.

Veja bem, o Senhor não nos faz bater de maneira semelhante. Os fortes podem ter de bater muito antes de a porta ser aberta; mas, para os fracos, a porta se abre na primeira batidinha. O mestre Bunyan nos diz, em sua obra *Solomon's Temple Spiritualized* [Templo espiritualizado de Salomão] que as colunas em que se prendiam as portas do templo "eram de oliveira, aquela árvore cheia de óleo e gordura", de modo que as dobradiças eram mantidas bem lubrificadas; e, quando qualquer pobre alma chegasse para entrar pelas portas, elas se abririam imediatamente.

Assim, alguém lhe abriu a porta, mas ele se encolheu como antes. O porteiro, então, saiu para vê-lo e lhe disse: "Tu que tremes, o que queres?".
Com isso, ele caiu ao chão. Aquele que lhe falara admirou-se de vê-lo tão desfalecido. De modo que lhe disse: "Paz seja contigo. Levanta-te, pois abri a porta para ti. Entra, pois tu és bendito". Com isso, ele se ergueu e entrou tremendo. E, já lá dentro, ficou com vergonha de mostrar o rosto.

Assim são esses trêmulos. Quando obtêm algum tipo de conforto e prazer, eles se envergonham de mostrar o rosto. Ficam felizes em entrar na escuridão e sentar-se em algum canto quieto, onde ninguém possa observá-los.

CAPÍTULO 18

COMO O SR. TEMEROSO SE SAIU (CONCLUSÃO)

Bem, depois de alguma conversa, segundo os costumes que o senhor conhece, ele recebeu ordens de seguir seu caminho e também orientações sobre o rumo a tomar. Então subiu até chegar a nossa casa.

Diante da porta do meu Mestre, o Intérprete, ele fez o mesmo que já fizera diante da entrada do caminho. Ficou ali fora no frio um bom tempo antes de se aventurar a chamar. Contudo, tampouco queria voltar atrás. Era época de noites longas e frias.

Isso é ainda mais avançado. Ele continuava buscando a Cristo, mas agora havia tido algum ensinamento do Espírito Santo e estava começando a entender algo do Evangelho. Observe como sempre aparece aquela boa informação: "Tampouco queria voltar atrás". Ele temia até mesmo apropriar-se das verdades da Palavra de Deus como suas e tirar um breve conforto delas; contudo, ele não queria voltar. Permaneceria à porta, mesmo que não fosse permitido. Ah, a tenacidade que existe no pobre pecador que busca uma vez que ele se apodera das preciosas promessas de Cristo!

Trazia ele junto ao peito, é claro, um bilhete endereçado a meu Mestre. A nota pedia que ele fosse recebido na casa com todo o conforto e também que lhe fosse destinado um guia valente e resoluto, pois era muito medroso. E, mesmo com tudo isso, ele ainda temia bater à porta.

Bunyan aqui quer dizer que esse pobre homem trazia uma reivindicação especial e particular do Espírito de Deus para algum Cristão plenamente crescido ajudá-lo na estrada para o Céu. Mas, mesmo com tudo isso, ele não ousava falar com o ministro. Ele o temia. Sentia-se bem indigno de olhar para o bom homem.

Ficou para cima e para baixo por ali, coitado, até quase morrer de fome. Sim, tão grande era o seu abatimento que, embora visse vários outros que, batendo à porta, entrassem, ele tinha medo de se aventurar.
Por fim, se me lembro bem, olhei pela janela e vi um homem que andava de um lado para outro diante da porta. Fui lá falar com ele e perguntar quem era. Mas, pobre homem!, seus olhos se encheram de lágrimas; então percebi o que queria.

Desse modo você, que ama a Cristo e tem alguma habilidade em instruir os convertidos, deve procurar aqueles que são tímidos demais para procurá-lo. Frequentemente você verá essas pessoas indo para cima e para baixo. Você as verá aqui, no domingo, nas aulas e nos cultos. Elas, às vezes, querem que lhes falem e, se o Espírito Santo o tem iluminado, você deve cuidar delas.

Entrei, então, e contei aos outros da casa, e levamos o caso ao nosso Senhor.

Esse é o caminho. Se você não puder ajudá-los sozinho, vá e conte ao Senhor sobre eles. Vá e ore a Ele sobre esses desalentados, que não se beneficiam do conforto que Ele lhes proporciona.

Logo, Ele me mandou lá fora de novo e convidar o homem a entrar; mas, ouso dizer, tive muito trabalho para convencê-lo. Finalmente ele entrou e, fazendo justiça a meu Senhor, devo dizer que Ele tratou o homem com extrema amabilidade. Não havia muita comida na mesa, mas parte dela colocamos no prato do convidado. Ele, então, mostrou o bilhete, e meu Senhor, lendo-o, disse que seu desejo seria atendido.

Ah!, quando a pobre alma consegue ver o real consolo que existe para si, parece, então, que as melhores coisas da Palavra de Deus foram direcionadas para os santos mais fracos, e é como se o Senhor houvesse Se colocado em uma forma de misericórdia para escrever as mais preciosas palavras concebíveis para aqueles que são de um espírito sensível e de ossos quebrantados.

Depois de estar um bom tempo ali, ele pareceu criar algum ânimo, sentindo-se um pouco mais à vontade. Meu Mestre, como o senhor deve saber, tem entranhas mui ternas, especialmente para com os que têm medo; por isso ele conduziu as coisas de modo que aumentasse ao máximo a coragem do homem. Bem, quando ele já havia visto as coisas do lugar e estava pronto para fazer a jornada até a cidade, meu Senhor, assim como fez com Cristão, deu-lhe uma garrafa de vinho e algumas coisas boas para comer. Então partimos nós dois, e eu ia na frente. Ele, no entanto, era homem de poucas palavras, só se ouvia seus suspiros altos.

Essa era uma tarefa delicada para o sr. Grande-Coração, mas é a tarefa de muitos cristãos avançados. Ele não deve se encolher, fugindo disso; e, se não receber instruções do pobre homem, ele deve se lembrar de que nem sempre estamos recebendo, mas que, às vezes, devemos dar também.

Chegando ao lugar onde aqueles três camaradas foram enforcados, ele me disse temer que aquele também fosse seu fim.

É claro que ele não podia encarar uma cena como essa sem temer que, um dia, estivesse em uma posição semelhante. Nunca houve um caso de exame ou censura por parte daquela igreja, mas o pobre sr. Temeroso diz: "Ah! Eu acabarei assim algum dia". E quando lê sobre Judas e Demas, diz: "Ah! esse certamente será o meu destino".

Só pareceu se alegrar ao ver a Cruz e o Sepulcro. Ali, confesso, desejou ficar um pouco para observar e, até algum tempo depois, pareceu continuar um pouco animado.

Ora, se não estivesse feliz lá, onde estaria? Se o bom homem não conseguisse reunir coragem ao pé da cruz, onde estaria de bom ânimo? É um prazer observar como Bunyan salienta a confortadora influência da cruz de Cristo sobre o espírito mais desalentado.

Doces momentos, ricos em bênçãos,
Aqueles passados diante da cruz.[132]

Quando chegamos à Montanha Dificuldade, ele não reclamou nem teve muito medo dos leões, pois o senhor deve saber que suas preocupações não eram sobre coisas como essas. Ele na verdade tinha medo de não ser aceito ao final.

É maravilhoso que esses tímidos muitas vezes não tenham medo das coisas que apavoram os outros. As dificuldades não os perturbam. Eles quase podem suportar serem queimados nas chamas. Não têm medo do martírio, mas têm medo do pecado e de si mesmos – um medo muito saudável, mas que deve estar associado a uma fé saudável em Cristo, ou se torna algo muito miserável.

Acho que eu o fiz entrar no Palácio Belo meio a contragosto.

Ou seja, na igreja cristã. O sr. Grande-Coração animou-o e fez com que ele visse os oficiais da igreja e se unisse à igreja quase antes de saber o que estava fazendo.

Ademais, já lá dentro, apresentei-o às senhoras da casa, mas ele teve vergonha de aproveitar a companhia delas. Queria muito ficar só, porém sempre amava uma boa conversa e, frequentemente, se escondia atrás do biombo para ouvir.

Esse é bem o estado de espírito em que muitos crentes estão depois de se juntarem à igreja. Eles são acanhados, não gostam de se mostrar. Preferem perder muitas coisas a serem considerados impertinentes ou presunçosos.

---

132 Tradução livre de trecho do hino *Sweet the moments, rich in blessing*, de autoria controversa. (N.T.)

Também gostava muito de ver coisas antigas e ponderar sobre elas.

Sei que ele amava a preciosa doutrina do amor eterno.

Contou-me, mais tarde, que apreciara muito ficar naquelas duas casas, a do início do caminho e a do Intérprete, mas me confidenciou que não ousava fazer perguntas [...]

Quando, deixando o Palácio Belo, descemos a Montanha até o Vale da Humilhação, notei que ele desceu melhor do que qualquer outro homem que eu já conhecera, pois não se importava em ser pobre, contanto que alcançasse a felicidade no final. Acho que havia uma espécie de simpatia entre ele e aquele vale, pois nunca o vi tão bem em toda a peregrinação quanto naquele vale. Ali deitou-se no chão, abraçou a terra e chegou mesmo a beijar as flores que cresciam no vale (Lm 3:27-29). Levantava-se ao raiar do dia toda manhã, passeando para lá e para cá no vale.

A humildade lhe convinha bem. Ele era uma planta que consegue crescer na sombra. Não dá para humilhá-lo demais, pois aquele era exatamente seu ambiente. Ele amava sentir a própria nulidade e ser abatido, para, então, sentir-se seguro.

Você percebe, o sr. Temeroso tem seus momentos tranquilos, pacíficos e felizes. Ele pode cantar: "O Senhor é o meu pastor, nada me faltará. Deitar-me faz em verdes pastos, guia-me mansamente a águas tranquilas"[133].

Esse é um estado muito alegre no qual estar: naturalmente temeroso, todavia, trazido tão para baixo que não se tem medo algum; tão sensível à própria fraqueza que se olha totalmente para uma força superior e, assim, não há razão para medo.

---

[133] Sl 23.1,2. (N.T.)

Mas, quando chegamos à entrada do Vale da Sombra da Morte, pensei que perderia o peregrino; não que demonstrasse a menor intenção de voltar, pois abominava essa ideia, mas esteve a ponto de morrer de medo. "Ah! os demônios vão me levar, os demônios vão me levar", gritava ele, e eu não conseguia convencê-lo do contrário. Fez tanta gritaria e tanto alvoroço ali que, se o tivessem escutado, eles se encheriam de coragem para cair sobre nós.

Notei, porém, uma coisa bem curiosa: nunca aquele vale esteve tão silencioso, nem antes nem depois. Suponho que os inimigos estivessem sob controle especial de nosso Senhor, com ordens de não perturbar até que o sr. Temeroso houvesse passado.

Bunyan aqui, muito espirituosa e sucintamente, descreve os medos absurdos do sr. Temeroso quando não havia motivo para temer. Ele cria os "demônios"[134] em sua própria imaginação, e depois grita: "Eles vão me pegar!". Pensa que cairá nisso ou será rejeitado por isso, ou que Deus o abandonará. Ah!, é tolo acolher tais temores; no entanto, muitos homens são fracos e, por toda a vida, não conseguem escapar deles.

Seria tedioso demais contar-lhes tudo. Só vou mencionar um ou dois casos mais. Quando chegou à Feira da Vaidade, pensei que ele iria querer brigar com todos os homens da feira. Temi que nós dois fôssemos abatidos com um golpe na cabeça, tal era a irritação dele diante das besteiras do povo do lugar.

O sr. Temeroso só tinha medo de não estar seguro no final, mas era um sujeito ousado quando se tratava de lidar com os inimigos da cruz

---

134 Bunyan usa, na verdade, o termo *hobgoblin*, que se refere a um ser do folclore nórdico, de aparência feia e hábitos maldosos. Seria como dizer que alguém está com medo de duendes. (N.T.)

de Cristo. É singular, essa combinação de bravura e tremor. Ele treme de medo de não ser salvo no final, mas ataca os inimigos pela direita e pela esquerda. Você sabe o que eram as "besteiras". Era a besteira da antiga Roma, e o sr. Temeroso não podia suportar aquilo, tinha vontade de destruir tudo.

Também no Terreno Encantado ele permaneceu bem atento.

A fé forte, algumas vezes, quase dorme lá. Somos muito tendentes a ficar presunçosos. Nós, que temos muitos confortos, começamos a pensar que está tudo certo conosco. Que, entretanto, nos mantenhamos acordados! Prefiro que você vá para o Céu duvidando de seu interesse em Cristo do que vá para o inferno presumindo estar seguro quando, na realidade, não está. É algo triste e pecaminoso estar sempre duvidando; mas, ainda assim, é infinitamente melhor do que ter nome de que vive enquanto se está morto[135].

Mas, chegando à beira do rio que não tem ponte, novamente se achou muito deprimido. Dizia que agora, sim, se afogaria para sempre, e que jamais viveria o consolo de ver o rosto que caminhara tantos e tantos quilômetros para contemplar.

Ali também reparei algo muito notável: o rio estava naquela ocasião mais raso mais do que jamais vi em toda minha vida. Assim, ele por fim acabou entrando no rio e atravessando-o com água pouco acima das canelas. Quando ele já subia até o portão, comecei a me despedir e lhe desejar boa recepção lá em cima. Nesse momento, disse-me: "Eu vou, eu vou". Então nos separamos e nunca mais o vi.

---

135 Cf. Ap 3.1. (N.T.)

Ele estava com medo de morrer, pobre homem, não porque estivesse com medo da morte, mas receava não ver o rosto Daquele a quem tanto amava e temia ser rejeitado por Ele. Aqui, uma vez mais, vemos a abundante misericórdia de Deus, pois o sr. Temeroso não afundou em águas profundas, mas morreu de modo fácil e passou pelo rio "com água pouco acima das canelas", e suas últimas palavras foram: "Eu vou, eu vou". Sim, irá mesmo, pobre sr. Temeroso. Você algumas vezes diz que não irá, mas essa é sua incredulidade. Você vai; você vai; pois o Mestre disse: "E o que vem a mim de maneira nenhuma o lançarei fora"[136].

---

136 Jo 6.37. (N.T.)

CAPÍTULO 19

SR. HESITANTE E SR. PRESTES-A-TROPEÇAR

Enquanto estavam na casa de Gaio com os peregrinos, o sr. Grande-Coração e seus companheiros saíram à caça do gigante Guerra-ao-Bem.

Chegando ao lugar onde morava o gigante, viram que tinha nas mãos um certo sr. Hesitante, que seus servos lhe haviam trazido depois de agarrá-lo na estrada. Ora, o gigante lhe tirava os pertences com o objetivo de devorá-lo depois, pois era da espécie dos comedores de gente.

Fora das mãos do gigante, o sr. Hesitante foi liberto, e o gigante mesmo foi morto. Pobre sr. Hesitante! Leiamos o que ele diz de si mesmo:

Sou um homem doente, como podem ver, e como a morte costumava bater uma vez por dia à minha porta, pensei que jamais seria feliz em casa. Por isso abracei a vida de peregrino, e trilhei todo o caminho vindo da Cidade da Incerteza, onde meu pai e eu nascemos. Sou um homem sem força nenhuma no corpo ou na mente, mas, se puder, pretendo passar a vida no caminho do peregrino, ainda que seja arrastando-me. Quando cheguei à porta do início do caminho, o Senhor do lugar me recebeu graciosamente. Não levantou objeções contra minha aparência fraca nem contra minha hesitação, mas me concedeu todo o necessário para a jornada, ordenando que eu mantivesse acesa até o fim a esperança.

Quando cheguei à casa de Intérprete, fui recebido com muita bondade, pois, como consideram a Montanha Dificuldade árdua demais para mim, fui carregado até lá em cima por um dos Seus servos.

De fato, encontrei nos peregrinos muito alívio, embora nenhum deles estivesse disposto a seguir tão devagar como me vejo obrigado a fazer. Assim mesmo, quando passavam por mim, diziam-me que eu tivesse bom ânimo, que era a vontade do Senhor que os hesitantes fossem consolados. Depois eles seguiam o caminho, no ritmo deles (1Ts 5.14).

Quando cheguei ao Beco do Assalto, esse gigante me encontrou e me disse em alta voz que eu deveria me preparar para a luta; mas, ai de mim!, débil como sou, precisava mais era de um estimulante. Então ele veio e me pegou ali mesmo.

Imaginei que não fosse me matar. Mesmo depois, quando me jogou em seu esconderijo, acreditava que sairia dali vivo, pois não fora para lá por vontade própria. Ouvi dizer que, segundo as leis da Providência, o peregrino feito cativo pelo violento, se mantiver o coração firme para com seu Mestre, não morre nas mãos desse inimigo.

Esperava ser roubado, como realmente fui, mas, como podem ver, escapei com vida, e por isso agradeço ao meu Rei, como autor do meu resgate, e a vocês, como instrumentos. Também espero outros ímpetos de ataque, mas isto já resolvi, a saber: correr quando puder correr, caminhar quando não puder correr, e rastejar quando não puder andar.

Quanto ao mais, graças Àquele que me ama, estou curado. Meu caminho está diante de mim; minha mente se concentra naquele lugar além do rio sem ponte, embora, como podem ver, eu seja hesitante por natureza.

Pobre alma! Conhecemos alguns como ele. Não é necessário explicar sua condição ou delongar-se em sua aventura. Passemos adiante para suas experiências posteriores.

Os peregrinos ficaram um tempo na casa de Gaio, e Hesitante ganhou um pesinho; tiveram uma gloriosa reunião especial e, em seguida, o sr. Grande-Coração disse que estava na hora de os peregrinos voltarem à jornada.

Mas, o sr. Hesitante, quando já saíam pela porta, fez como se pretendesse ficar.

GRANDE-CORAÇÃO: Venha, sr. Hesitante, por favor, venha conosco. Eu serei seu guia, e o senhor se sairá bem como os outros.

O sr. Grande-Coração, que, naturalmente, é o ministro, insistiu em que o sr. Hesitante não deixasse o bando de peregrinos. Ele queria ir para o Céu sem se juntar à igreja, e isso o mestre não poderia sancionar. Mas, mesmo sendo hesitante, ele era um homem de cabeça muito bem-feita. As pessoas mais severas podem suportar algumas risadas, não se dar conta de como os outros se vestem de modo tolo e até aguentar um debate sobre a questão; mas o pobre Hesitante disse:

Ai de mim! Preciso de um companheiro adequado às minhas forças. Vocês todos são vigorosos e fortes, mas eu, como vocês veem, sou fraco. Prefiro, portanto, seguir atrás, para não ser um fardo tanto para mim mesmo quanto para vocês, em virtude das minhas muitas debilidades.

Como já disse, sou um homem fraco e hesitante, e as coisas que os outros conseguem suportar me incomodam e me enfraquecem. Não gosto de risadas, não gosto de roupas espalhafatosas e não me agradam perguntas vãs. Não, sou tão fraco a ponto de me ofender com aquilo que os outros têm liberdade de fazer. Não conheço ainda toda a verdade. Sou um cristão ainda muito ignorante. Por vezes, se ouço alguém exultando no Senhor, isso me incomoda, porque não consigo fazer o mesmo. Sou como um fraco entre fortes, ou como um doente entre os sadios, ou como uma lâmpada desprezada. Tocha desprezível é, na opinião do que está descansado, aquele que está pronto a vacilar com os pés (Jó 12.5). Assim, não sei o que fazer.

GRANDE-CORAÇÃO: Mas, irmão, tenho por incumbência consolar os hesitantes e apoiar os fracos (1Ts 5.14). O senhor deve, sim, seguir conosco. Caminharemos no seu ritmo e o ajudaremos; até nos privaremos de algumas coisas, tanto doutrinárias quanto práticas, por sua causa (1Co 8). Não entraremos em discussões e debates diante do senhor. Faremos tudo para que não fique para trás (1Co 9.22).

Quero que você observe que o dever dos fracos de se unir à igreja é aqui prescrito, e também o de serem gentis os membros da igreja à qual se unem.

Eis uma parte bela da escrita do sr. Bunyan:

Todo esse diálogo ocorreu diante da porta de Gaio. Estando eles no calor da discussão, chegou o sr. Prestes-a-Tropeçar, com muletas nas mãos (Sl 38.17), que também ia em peregrinação.

HESITANTE: Homem, como você chegou aqui? Eu estava agora mesmo reclamando um companheiro adequado, mas você é justamente o que eu queria. Bem-vindo, bem-vindo, meu bom sr. Prestes-a-Tropeçar, espero que você e eu sejamos de auxílio um para o outro.

PRESTES-A-TROPEÇAR: Fico feliz com a sua companhia, meu bom sr. Hesitante. Agora que nos encontramos, acho que não seria bom que nos separássemos. Pelo contrário, disponho-me a emprestar-lhe uma de minhas muletas.

HESITANTE: Não, agradeço-lhe muito por sua boa vontade, mas não quero mancar antes de me tornar coxo.

Veja como ele recobra o ânimo com uma simples ideia própria:

Porém, ela talvez, quando for o caso, me ajude contra um cão...

Assim, você vê, ele encontrou companhia conveniente na igreja. A primeira coisa para notarmos é que há na igreja alguns pobres santos Hesitantes que realmente são companhia não muito agradável, mas que não devem ser menosprezados. Eles não são muito animados, podem mesmo nem ser amáveis; têm a mente fraca, hesitante, você não aprenderá muito com eles; eles são, como Bunyan diz, cristãos ainda muito ignorantes. Mas, como igreja, não devemos hesitar em acrescentá-los a nós, devemos nos alegrar por terem vindo para nosso meio. Ouvi uma pessoa dizer: "Veja quantas pessoas pobrezinhas estão entrando na igreja". Fico feliz por isso, são as próprias pessoas que precisam da comunhão na igreja e de privilégios espirituais. Além disso, muitos dos pobres da terra são os ilustres da terra[137]. Hesitante era um homem de espírito muito gracioso e terno. Ouvir outras pessoas brincando e debochando irritava-lhe os ouvidos; ele via outros elegantemente vestidos, mesmo que não fosse em excesso, e julgava isso em desarmonia com a simplicidade cristã exigida pelo apóstolo Pedro; e isso o entristecia. Uma coisa e outra, o que um santo mais forte poderia fazer e suportar sem qualquer dano, feria-lhe a sensível disposição. Ele não queria ficar sempre procurando defeito no paletó alheio; por isso, pensava em andar o melhor que pudesse até o Céu sozinho.

Pois bem, eu gosto do sr. Grande-Coração pressionando-o a se juntar à igreja. O sr. Grande-Coração era um homem forte, com espada e escudo; e, se tinha alguém que precisava de tal protetor, era certamente o sr. Hesitante, que não conseguia se defender. Nós queremos os de mente fraca nesta igreja. Sei que não são muito desejáveis de certo ponto de vista; mas, pensando bem, nós não somos muito desejáveis, contudo Cristo veio para nos buscar e salvar. É desejável sermos capazes de tolerar esses pobres Hesitantes. Você não acha que geralmente obtemos o maior benefício das pessoas que mais nos testam?

Quando uma pessoa testa nosso temperamento e nos permite saber quão ruim ele é, isso é benéfico para nós. Se tem um filho inválido ou um amigo doente, você não faz muito barulho, aprende a ser quieto e atencioso. Gentileza e ternura são aprendidas nesta escola. É uma coisa boa ter um santo fraco por perto, pois isso ajuda a tornar os outros sensíveis. É bom para a igreja ter Hesitantes, e não há dúvida de que é bom que os Hesitantes estejam na igreja.

Mas você vê o que o sr. Grande-Coração diz a esse companheiro fraco? Ele diz, com efeito: "Nós vamos esperar por você; se não conseguir correr como nós, andaremos no seu ritmo. Não vamos ultrapassar você". Sei como é com alguns cristãos eles cresceram na graça de modo

---

137 Cf. Sl 16.3. (N.T.)

tão maravilhoso, que querem que todos estejam em seu nível máximo, e não a meio centímetro abaixo dele. Eles ouvem de um filho querido de Deus gemendo sobre as próprias corrupções e de suas tribulações na vida cristã, e olham para ele como se fosse um dos bem piores dos pecadores, ao passo que a chance é de mil para um que o crente sendo provado seja um santo melhor do que aqueles prepotentes que se gabam. O gabarola é como um garoto durão que tem uma irmãzinha doce e delicada, que vale dez dele. Ela não consegue correr como o irmão, mas ele lhe diz: "Você tinha de correr; não devia ficar na cama; por que você está sempre doente?". Ele esquece que ela não pode evitar. O gado gordo não deve empurrar o magro com os chifres e ombros, de modo a pisotear os fracos sob seus pés. Não, o Senhor gostaria de que o sr. Grande-Coração dissesse ao sr. Hesitante: "Vamos esperar por você, se não conseguir andar tão rápido quanto nós; e", note isto, "negaremos a nós mesmos, por amor a você, inclusive no que seria lícito fazermos; há algumas coisas que levam você a pecar, e não vamos fazê-las, para que você não seja ferido; elas podem não nos ferir, mas não vamos fazê-las, porque não queremos que você, de alguma maneira, sofra". Todas as coisas são lícitas para mim, todas as ações comuns da vida são lícitas para mim, mas em certas ocasiões elas não convêm.

"Não entraremos em discussões e debates diante do senhor", disse o grande, embora gracioso líder. Não imporemos sobre você sermões a respeito de doutrinas muito elevadas, que só o perturbariam. As perguntas que não ministrariam a seu crescimento na graça devem ser deixadas por ora; deixaremos para discutir assuntos difíceis só em sua ausência. Diremos um ao outro: "Temos um ponto difícil para resolver, mas vamos deixá-lo até que essa pessoa se vá para a reunião de oração ou esteja em casa, porque sua cabeça está doendo; não falaremos sobre esses assuntos até que todos os santos fracos não estejam presentes". Se um pai e uma mãe têm algo desagradável para dizer um ao outro, não devem deixar mais ninguém ouvir. "Por favor, não deixe que as crianças saibam de nada disso", dizem um ao outro. Sempre que você e eu, que somos os membros fortes da igreja, tivermos alguns assuntos espinhosos para considerar, não devemos fazê-lo diante dos convertidos recém-nascidos. Temos de dizer: "Precisamos afastar todas as crianças antes de conversar sobre essas coisas"; e, como estamos certos, espero eu, de sempre ter almas recém-nascidas entre nós, é melhor nos esforçarmos para evitar por completo esses debates duvidosos.

O ponto mais doce da história é que o sr. Prestes-a-Tropeçar aparece de muletas. Agora, sr. Prestes-a-Tropeçar e sr. Hesitante, vocês estão em casa; existem dois de vocês. Vocês, pobres santos fracos, que precisam de toda a ajuda que puderem obter, fazem muito bem de entrar, porque há mais gente como vocês na igreja, e vocês podem se ajudar. Que encantador quando o sr. Prestes-a-Tropeçar disse que emprestaria ao sr. Hesitante uma de suas muletas. Mas gosto da maneira como Hesitante firmemente declinou do empréstimo. Era Hesitante, mas não era coxo; e, portanto, disse: "Não quero mancar antes de me tornar coxo". Suponho que esse bom homem, Prestes-a-Tropeçar, estava acostumado a usar uma oração formulada. Hesitante, por outro lado, poderia dizer: "Minhas orações são muito pobres, irmão; ainda assim, são minhas próprias palavras e são a expressão de meus sentimentos mais íntimos". Ele não culpou Prestes-a-Tropeçar por ter muletas, mas ele mesmo não as usaria. Algumas pessoas me dizem: "Gostaríamos de que você nos escrevesse um livro de orações, pois já nos deu dois volumes de devocionais e *O intérprete*[138]". Mas respondo: "Eu não posso fazer orações por vocês, não posso conscientemente criar um fazedor de muletas. Ainda assim, é melhor você ir em muletas, lendo uma oração em família, do que absolutamente não orando". Gosto de ouvir o sr.

---

138 Essas obras foram, inclusive, traduzidas para o português, e os dois devocionais citados foram publicados em um volume só. *Dia a dia com Spurgeon – Manhã e noite* (Publicações Pão Diário, 2015). *O Intérprete: Bíblia Devocional – Versão Almeida Corrigida Fiel com referências e notas* (eBook Kindle, 2016). (N.T.)

Hesitante, como ele é enfático, e diz, por assim dizer: "Não, não, não, eu não preciso de muletas ainda, embora possam ser úteis contra um cão. São de alguma utilidade, talvez, e você consegue, de alguma forma, se ajeitar com elas". Ainda assim, isso mostra o bom coração que havia em Prestes-a-Tropeçar, que estava disposto a emprestar ao sr. Hesitante uma de suas muletas. Muitos santos têm muletas de um ou outro tipo, não podem confiar em seus pés e descobriram que elas são de alguma ajuda para eles, e geralmente estão dispostos a emprestar suas muletas a outros. É bem certo que deva ser assim. Ora, entre, amigo Prestes--a-Tropeçar, com suas muletas; entre, sr. Hesitante, com todos seus medos e fraquezas, vocês dois tomarão conselhos juntos sobre as coisas de Deus. Esperamos por vocês e não nos importamos de fazê-lo, desde que consigamos chegar juntos ao mesmo destino.

Um pouco adiante, descobrimos que Prestes-a-Tropeçar, depois que o Gigante Desespero foi morto, dançou com uma de suas muletas na mão, de uma maneira maravilhosa; e, pouco antes de terem atravessado o rio, o pobre Hesitante deixou sua mente hesitante ser enterrada pelo sr. Valente em um monte de pedras, e o sr. Prestes-a-Tropeçar deixou de legado para o filho suas muletas, pois não precisava de tais coisas no Céu.

Um dia, eu estava sentado sob as oliveiras, em Mentone, e vi uma ovelha que tinha evidentemente de desviado para longe do resto do rebanho e se perdido. Ela berrava porque estava completamente sozinha e não sabia o caminho de volta. Nesse momento, um apito soou e a ovelha saiu de imediato na direção de onde vinha o som. O Senhor diz: "As minhas ovelhas ouvem a minha voz, e eu conheço-as, e elas me seguem"[139]. Elas conhecem Seu chamado mesmo quando Ele as chama pelo apito. E eu creio, queridos irmãos, que vocês prefeririam ouvir o apito do Evangelho a ouvir novas doutrinas pregadas da melhor

---

[139] Jo 10.27. (N.T.)

maneira possível; pois existe, de uma ou outra forma, um soar no verdadeiro Evangelho que não pode ser confundido. Se for o verdadeiro Evangelho, você conhecerá a voz dele, e dirá: "Este é meu caminho, e eu saio em resposta ao gracioso chamado".

Você deve se chegar ao Pastor e deve ficar entre as ovelhas; não seja por muito tempo uma ovelha solitária. Há alguns irmãos que ficarão alegres em vê-lo. Os presbíteros ficarão alegres em vê-lo. Eu não sou coxo, contudo compraria um par de muletas para acompanhá-lo se você não puder seguir por outros meios; mas eu lhes emprestarei as duas, porque não tenho necessidade delas. É uma alegria poder regozijar-se no Senhor e seguir em frente, correndo no caminho de Sua salvação; mas nossa alegria é dobrada se conseguirmos encorajar o sr. Hesitante e o sr. Prestes-a-Tropeçar.

CAPÍTULO 20

CRISTIANA DIANTE DOS PORTÕES E DO RIO

Quando Cristiana, a esposa de Cristão, saiu em peregrinação, passou, é claro, pelo mesmo portão que o marido. E a história foi assim:

Então julguei ver Cristiana e Misericórdia, e os meninos, chegando juntos à porta. E, estando todos eles diante dessa porta, puseram-se a discutir como deveria ser o seu chamado e o que deveriam dizer àquele que viesse abrir. Concluíram que Cristiana, sendo a mais velha, deveria bater para pedir entrada e também falar, em nome de todos eles, com quem viesse abrir.

Ela então começou a bater, e, como o marido, o fez muitas e muitas vezes. Mas, em lugar de ouvir a resposta, pensaram ouvir como que um cachorro latindo para eles, e, pelo latido, parecia-lhes um dos grandes. Isso meteu medo nas mulheres e nas crianças. Por isso, não ousaram, por certo tempo, voltar a bater à porta, temendo que o cão de guarda saltasse sobre elas. Bastante perturbadas, não sabiam o que fazer. Não ousavam bater, por medo do cachorro, nem voltar, temendo que o Porteiro as visse recuar e, por isso, se sentisse ofendido com elas.

Finalmente, pensaram em tornar a bater, e bateram mais veementemente do que antes. Então ouviram o Porteiro: "Quem é?".

Com isso, o cão parou de ladrar, e Ele abriu para elas.

Quando Bunyan está falando das experiências de um homem forte, representa flechas sendo atiradas contra ele. Quando fala de mulheres e crianças, ele as representa sendo ameaçadas por latidos de cachorro. Algumas almas tímidas ficam tão alarmadas com o ladrar de um cão como ficam os corações mais robustos com dardos flamejantes voando.

Deus não permite que os fracos sejam tentados na mesma medida que os fortes. Não são atingidos por setas de fogo; em vez disso, um cão selvagem late para eles. Quando descrevo as dolorosas tentações de certos cristãos alguns de vocês dizem: "Mas nunca sentimos algo assim". Ora, não se inquietem por não terem tido uma experiência tão penosa, mas fiquem gratos por isso. Alegrem-se por ter entrado, como Cristiana e Misericórdia, com apenas um cão latindo para vocês. Os dardos não são para se desejar. Se, quando veio ao Senhor Jesus Cristo, toda a oposição com a qual se deparou foi nada mais do que o simples ladrar de um cachorro que não podia nem mordê-lo, agradeça por ter vindo tão facilmente e por Satanás ter sido controlado para não poder molestá-lo.

Tudo, em todo o mundo, que impediria um pecador de vir a Cristo não é nada melhor que o latido de um cachorro. Não há muito motivo para alarde ao ouvir um cão à distância. Se, quando estivesse vindo para este Tabernáculo, ouvisse um cachorro latindo, não sei se prestaria muita atenção a ele. Se estivesse na minha casa à noite e ouvisse um cachorro latindo, isso talvez perturbasse meu sono, mas não me alarmaria muito. Se um homem estivesse indo em alguma missão importante e algum vira-lata mequetrefe viesse fazendo barulho em seu encalço, ele nem se daria o trabalho de notar. Tudo o que os demônios ou os homens podem dizer contra uma alma que vem a Cristo e Nele confia não é nem um trisco mais temível que o latido de um cachorro. Portanto, suplico a você, não inquiete seu coração por causa disso. Diga em sua alma: "Cristo me manda vir, e não serei impedido pelo latido de um cão. Cristo me chama; eu ouço a voz de Deus. Aceito o convite do Céu; que ladrem os cães até cansarem, se quiserem; uma música mui doce está soando em meus ouvidos, enquanto abafa esses uivos".

> Irei a Jesus, embora meu pecado
> Erga-se como uma montanha;
> Conheço seu tribunal, entrarei,
> Seja o que for que se oponha.[140]

Peço-lhe agora que ouça o que aconteceu quando os peregrinos passaram para dentro. Todos entraram, exceto Misericórdia, que foi deixada de fora, tremendo e chorando, como fazem alguns depois que seus companheiros encontram paz. No entanto, Misericórdia bateu novamente e, depois de um tempo, o Porteiro do portão abriu-o e ela foi admitida, sendo todos bem-vindos e perdoados pelo Senhor do caminho.

Depois, ele os levou até um salão de verão, onde as duas mulheres começaram a conversar.

CRISTIANA: Ah, Senhor! Como estou feliz por termos chegado aqui!

MISERICÓRDIA: A senhora deve mesmo estar feliz, mas eu sou a que mais motivos tenho para dar pulos de alegria.

---

[140] Tradução livre de trecho do hino *Come humble sinner, in whose breast* (1787), de Edmund Jones. (N.T.)

CRISTIANA: Cheguei a pensar, ali diante da porta, depois de bater sem que ninguém atendesse, que todo o nosso esforço fora em vão, principalmente quando aquele horrível vira-lata começou a latir tão forte contra nós.

MISERICÓRDIA: Meus piores temores vieram quando vi que a senhora tinha sido aceita, e eu, ficado para trás. Ora, pensei então que se havia cumprido o que está escrito: "Duas estarão trabalhando num moinho, uma será tomada, e deixada a outra" (Mt 14.41). Foi com muito esforço que não gritei: "Ai de mim, ai de mim!". Ao mesmo tempo, tinha medo de bater de novo à porta. Quando, porém, ergui os olhos e li o que estava escrito no alto da porta, tomei coragem. Também pensei que ou bateria de novo ou morreria ali mesmo. Por isso bati, embora nem eu mesma saiba dizer como, pois meu espírito se debatia então entre a vida e a morte.

CRISTIANA: Não sabe dizer como foi que bateu? Pois posso lhe assegurar que as batidas foram tão fortes que o barulho até me fez dar um salto. Pensei jamais ter ouvido batidas tão fortes em toda minha vida. Cheguei até a imaginar que você fosse entrar pela violência ou se apoderar do reino pela força (Mt 11.12).

MISERICÓRDIA: Quem me dera! Como é que eu poderia fazer uma coisa dessas? A senhora viu que a porta foi fechada sobre mim, e que por perto se ouvia um cão dos mais cruéis. Quem, eu pergunto, tão covarde quanto eu, não bateria com toda a força? Mas, por favor, o que disse meu Senhor sobre minha rudeza? Não ficou irritado comigo?

CRISTIANA: Quando ele ouviu o barulho das batidas, abriu um sorriso largo, puro e maravilhoso. Creio que o que você fez agradou-lhe bastante, pois ele não deu mostras do contrário. Mas me pergunto por que é que ele mantém por perto um cachorro daqueles. Se eu soubesse disso antes, acho que não teria tido coragem suficiente para me aventurar como fiz. Mas agora que já entramos, já entramos; e alegro-me de todo meu coração.

MISERICÓRDIA: Pois, quando Ele descer de novo, vou perguntar, se a senhora não se opuser, por que Ele mantém no quintal um vira-lata tão feroz. Espero que ele não leve a mal.

CRIANÇAS: Pergunte mesmo. E, por favor, veja se consegue convencê-Lo a mandar o cachorro para a forca, pois temos medo de que ele nos morda quando partirmos.

Você vê que as crianças queriam que o cachorro fosse enforcado, como o matuto que disse: "*Si* Deus é tão mais *forti* que *u diabu*, por que ele não mata *u diabu*?" Muitas vezes desejei o mesmo, mas essa não foi a vontade do Mestre.

Afinal, ele desceu e foi ter com os peregrinos novamente. Misericórdia prostrou-se diante dele e, rosto ao chão, adorou-o. Depois disse:

– Meu Senhor, aceita o sacrifício de louvor que agora Te ofereço com meus lábios.

– A paz seja contigo. Levanta-te – disse ele.

Mas ela, ainda de rosto no chão, disse:

– "Justo és, ó Senhor, quando entro contigo num pleito; contudo falarei contigo dos Teus juízos" (Jr 12.1). Por que manténs um cão tão cruel em Teu quintal, diante do qual mulheres e crianças, como nós, quase fogem correndo da porta, de tanto medo?

Ele então lhe respondeu:

– Aquele cão não é Meu. Ele fica aqui perto, nas terras de outro homem, e só os Meus peregrinos ouvem seus latidos. Pertence ao castelo que vocês veem ao longe, mas consegue chegar aqui passando pelos muros deste lugar. Já assustou muitos peregrinos sinceros, fazendo-lhes até bem, pela grande força do seu ladrar.

Na verdade, seu dono não o mantém como demonstração de boa vontade para Comigo ou com os Meus, mas sim com o intento de evitar que os peregrinos se aproximem de Mim, assustando-os para não baterem à porta de entrada. Às vezes, esse cão escapa e apavora aqueles que amo, mas tenho aceitado tudo isso com paciência. Também ofereço ajuda oportuna a meus peregrinos, para que o cão não lhes faça o que a sua natureza má gostaria. Ora, Meus adquiridos, penso Eu que, se soubessem disso de antemão, não teriam tido medo do cão. Os mendigos que vão de porta em porta também estão sujeitos aos uivos e latidos e correm o risco de levar mordidas de um cão, mas nem por isso preferem perder suas esmolas. E por que um cão, um cão no quintal de outro homem, um cão cujo ladrar torno em benefício aos peregrinos, impediria alguém de vir até Mim? Pois Eu os livro dos leões e salvo os Meus amados do poder do cão.

Portanto, as tentações das pobres almas que buscam não vêm do Espírito Santo. Elas vêm do diabo. Observe que o Senhor disse: "Tenho aceitado tudo isso com paciência". Deus mostra Sua grande longanimidade, penso eu, ao suportar até o próprio diabo. Além disso, Ele acrescentou que torna o latido do cachorro um benefício aos peregrinos. Alguns vinham até o portão meio dormindo, mas, quando o cão latia, eram levados a ficar atentos. Bem disseram que um diabo rugindo é preferível a um diabo dormindo. É melhor estar cheio de medo e tremendo do que estar sonolento. Assim, o Senhor anula as tentações de Satanás para o bem dos pobres pecadores que estão vindo. Ora, então, que não enforquem o cão, mas que o deixem ser usado para uma boa causa. Pobre pecador, somente não o tema. Venha a Jesus, você que treme.
Que o Espírito Santo lhe permita vir e tomá-Lo para ser seu para sempre e sempre, e então deixe os cães latirem tão alto quanto quiserem.

Agora, passemos para o fim do maravilhoso sonho e vejamos Cristiana e as amigas à beira do rio.

Como você acha que os peregrinos, que moravam na Terra de Beulá, encaravam a morte? Não era, de forma alguma, um assunto para tristeza. Eis a encantadora descrição das alegrias da fronteira do Céu:

Depois disso, vi que chegavam à Terra da Beulá, onde o sol brilha noite e dia. Ali, como estavam exaustos, pararam um pouco para descansar. Como se tratava de uma terra franqueada aos peregrinos, e os pomares e vinhedos dali pertenciam ao Rei da Terra Celestial, eles tiveram permissão para se deliciar com tudo o que vissem. No entanto, tiveram pouco tempo de descanso, pois os sinos já tocavam, e as trombetas soavam sem parar, tão melodiosamente que eles não conseguiam dormir. Apesar disso, sentiam-se revigorados, como se jamais houvessem dormido tão bem.

Ali também se ouvia este murmúrio pelas ruas: "Mais peregrinos estão chegando à cidade". E alguém respondia, dizendo: "E outros tantos passaram pelas águas hoje e foram admitidos nos portões de ouro". E se ouvia em altos brados: "Acaba de chegar à cidade uma legião de Seres Resplandecentes, e por isso sabemos que há mais peregrinos na estrada. Pois esses seres vieram esperá-los e consolá-los depois de todas as aflições".

Então os peregrinos punham-se de pé e caminhavam para lá e para cá. Sentiam-se, entretanto, envolvidos pela música celestial, e seus olhos se deleitavam com visões daquele lindo lugar.

Nessa terra nada ouviam, nada viam, nada sentiam, nada cheiravam, nada provavam que lhes fosse repugnante ao estômago ou à mente. Só quando provaram a água do rio que teriam de atravessar é que acharam o gosto um tanto amargo ao paladar, mas ele se mostrou doce quando desceu para as entranhas.

A grande alegria deles era que outros peregrinos chegavam onde eles estavam e que todos os dias alguns atravessavam o rio. Os santos que alcançavam a Terra da Beulá devem regozijar-se ao ouvir sobre peregrinos cruzando o rio. Se temos plena fé, devemos pensar com grande alegria nos entes queridos que foram ver o Rei em Sua beleza; e, em lugar de dizer com lamento: "Eles estão mortos", devemos exclamar triunfantemente: "Eles agora estão além do alcance da morte!". Em vez de supor que os perdemos, devemos perceber que eles apenas nos precederam por um pouco de tempo; estamos na estrada e em breve chegaremos ao lar, e bendito será o dia em que nos reuniremos a eles na glória.

Enquanto estavam lá e esperavam pela boa hora, ouviu-se um murmúrio de que chegara da Cidade Celestial um mensageiro com assunto de grande importância para uma Cristiana, mulher de Cristão, o peregrino. Então trataram de encontrá-la, e descobriram a casa onde estava. Assim, o mensageiro entregou-lhe uma carta, que dizia o seguinte: "Salve, mulher piedosa! Trago-lhe notícias de que o Mestre a chama e espera que você se apresente perante Ele, em vestes de imortalidade, dentro de dez dias".

Depois de ler a carta para ela, apresentou-lhe uma prova segura de que ele era um mensageiro legítimo e de que viera lhe dizer que se apressasse para partir. A prova era uma flecha de ponta aguçada com amor, que lhe penetrou com leveza o coração, e seria gradualmente tão eficaz a ela, que na hora determinada Cristiana estaria pronta para partir.

Bem, o mesmo acontece ainda com os peregrinos; eles têm suas flechas de ponta aguçada com amor, um mês, um ano ou mais, antes do tempo determinado para irem embora. Recebem aviso de que o Mestre os espera em breve, e eles se desenvolvem e amadurecem em espírito.

Dando-se conta de que sua hora chegara, e que ela seria a primeira do grupo a cruzar o rio, Cristiana chamou o sr. Grande-Coração, seu guia, e lhe contou tudo. Ele confessou sua alegria diante daquela notícia e lhe disse que, se o mensageiro houvesse vindo para ele, certamente ficaria muito feliz.

Cristiana, então, lhe pediu conselho sobre como preparar todas as coisas para a jornada. Então ele lhe disse que devia ser assim e assim.

GRANDE-CORAÇÃO: Nós que iremos sobreviver vamos acompanhá-la até a margem do rio.

Ela, então, chamou os filhos e os abençoou. Disse-lhes sentir-se consolada em ler o sinal gravado na testa de cada um deles e que estava feliz por tê-los todos ali com ela e terem conservado as vestes tão alvas. Por fim, deixou aos pobres o legado do pouco que tinha e ordenou aos filhos e filhas que estivessem prontos quando o mensageiro viesse procurá-los.

Tão logo recebeu seu sinal, Cristiana fez o que a maioria das pessoas cristãs fazem, mandou chamar seu ministro, cujo nome era sr. Grande-Coração, pois ele ajudara a ela e a família na peregrinação até chegarem ao rio. E o que você acha que o sr. Grande-Coração disse, quando ela lhe contou que uma flecha lhe havia entrado no coração? Será que ele sentou e chorou com ela? Não, "confessou sua alegria diante daquela notícia, e lhe disse que, se o mensageiro houvesse vindo para ele, certamente ficaria muito feliz". E, embora não seja o sr. Grande-Coração, eu posso verdadeiramente dizer o mesmo. Você e eu não deveríamos temer a mensagem; antes, poderíamos mesmo ansiar por ela, invejar aqueles que nos precedem na presença do Bem-Amado e obtêm primeiro a chance de reclinar a cabeça sobre aquele seio, de onde jamais desejarão levantar-se novamente, pois nele encontram alegria e bem-aventurança para sempre.

Cristiana não olhou para sua partida com qualquer pesar; ela recebeu amorosos *adieux* de seus filhos e de todos seus amigos e companheiros de peregrinação. Tampouco nossos queridos amigos, que são convocados a partir de perto de nós, olham para a morte com qualquer tipo de apreensão. Quando nos sentamos e conversamos com eles sobre o mundo vindouro, nossa conversa é a de quem se regozija quando qualquer um de nós entra no descanso e está confiante de novamente nos reencontrarmos no outro lado do rio.

Mas chegou o dia da partida de Cristiana, e as ruas ficaram cheias de gente que queria vê-la fazer a jornada. A margem oposta do rio estava tomada de cavalos e carros, que desceram lá do alto para acompanhá-la até os portões da cidade. Assim, ela se adiantou e entrou no rio, com um aceno de adeus aos que a acompanharam até a margem do rio. As últimas palavras que a ouviram dizer foram: "Eu venho, Senhor, para estar contigo e te bendizer".
Então seus filhos e amigos voltaram a seus lugares, pois aqueles que a aguardavam haviam-na levado até os companheiros perderem-na de vista. Assim ela foi, e chamou, e afinal entrou pelo portão, cercada por todas as demonstrações de júbilo que também seu marido, Cristão, recebera antes dela. Na sua partida, seus filhos choraram. Mas o sr. Grande-Coração e o sr. Valente tocaram címbalo e harpa bem afinados, vibrando de alegria.

O que você acha que falam no Céu sobre nossos queridos que dormem em Jesus? Ora, os anjos vêm ao encontro deles! Lázaro morreu e foi levado por anjos para o seio de Abraão, e é isso que acontece com todos os santos. Sim, os anjos vêm encontrar os santos e os escoltam para seu lugar eterno. Eles não lamentam quando os filhos de Deus chegam à glória. Eles estendem as mãos brilhantes e dizem: "Bem-vindo, irmão;

bem-vinda irmã! Vocês foram peregrinos por muito tempo; agora devem descansar para sempre. Bem-vindos ao lar eterno!".

E como você acha que os santos na luz consideram a chegada daqueles que vêm um pouco mais tarde? Sem dúvida, eles os recebem com jubilosas aclamações, e correm por todas as ruas douradas anunciando: "Mais peregrinos chegaram à cidade! Mais peregrinos chegaram à cidade! Mais remidos chegaram em casa!". E o Senhor Jesus Cristo sorri e diz: "Pai, graças Te dou porque aqueles que Me deste estão comigo onde Eu estou". Ele os recebe bem. E Deus Pai também se alegra em saudá-los em glória. Vocês não ficam felizes quando seus filhos chegam em casa? Existe algum homem entre vocês que não se regozije ao ver seus meninos e meninas voltarem para si depois de férias breves? Nós gostamos de ouvir as vozes doces, embora nos incomodem algumas vezes. Mas, afinal, eles são nossos próprios filhos, nossa própria geração e, de alguma forma, aos nossos ouvidos não há voz tão doce quanto a deles; e para Deus não há música como a voz de seus filhos. Ele fica contente de levá-los para casa Consigo, para nunca mais saírem. E o bendito Espírito também, não nos esqueçamos Dele: Ele se deleita em ver as santas almas que Ele fez novas, aquelas com quem contendeu, com quem trabalhou por tantos anos. Como um obreiro se regozija sobre sua obra aperfeiçoada, o Espírito de Deus se regozija sobre aqueles a quem Ele fez idôneos para participar da herança dos santos na luz[141].

Bunyan coloca belamente:

> Que espetáculo glorioso foi ver a parte alta encher-se de cavalos e carruagens, com trombeteiros e flautistas, cantores e músicos com instrumentos de cordas, todos para receber os peregrinos que, um após o outro, subiam até o belo portão da cidade.

---
141 Cf. Cl 1.12. (N.T.)

Irmãos e irmãs, se vocês estiverem em Cristo, não tenham medo de morrer, pois a graça para morrer será dada a você para esse momento.

Lembre-se de como esses peregrinos atravessaram o rio. O sr. Firme disse: "As águas de fato são amargas ao paladar, e frias quando tocam o estômago. As esperanças, porém, que tenho em relação ao lugar para onde vou e a recepção que me aguarda do outro lado queimam como brasa ardente em meu peito". Ele também disse: "Este rio tem sido terror para muitos. Sim, a simples lembrança dele muitas vezes também me apavorou. Agora, porém, creio estar em paz. Meu pé descansa sobre o mesmo fundamento que suportou os pés dos sacerdotes que carregaram a arca da aliança quando Israel cruzou este mesmo Jordão".

Lembre-se de como o pobre sr. Prestes-a-Tropeçar deixou as muletas para trás. Você não fica feliz com isso, querido amigo, você que há anos está prestes a tropeçar? Havia o velho e querido sr. Hesitante, que disse a Valente-pela-Verdade: "Quanto à minha hesitação, isso deixarei para trás, pois certamente não precisarei dela no lugar aonde vou, nem é algo digno de deixar ao mais pobre dos peregrinos. Portanto, quando eu me for, desejo que o senhor, Valente, a enterre em um monturo". E, depois, houve o pobre sr. Desesperança, com sua filha Apavorada, que cruzaram o rio juntos. "E as últimas palavras do sr. Desesperança foram: 'Adeus, noite; bem-vindo, dia'." Quanto à senhorita Apavorada, ela atravessou o rio cantando, mas ninguém conseguiu entender bem quais eram as palavras, ela parecia estar além dos limites da capacidade de expressar seu deleite.

Ah, é maravilhoso como esses peregrinos fazem quando estão para morrer! Podem tremer enquanto vivem, mas não tremem quando morrem. Então, o mais fraco se torna o mais forte. Ajudei muitos peregrinos no caminho e, entre eles, alguns Hesitantes e Temerosos, que me foram de grande preocupação enquanto estavam na estrada. Mas, por fim, ou o rio estava vazio, ou eles passaram a pés secos ou, então, quando chegaram às profundezas mesmo, desempenharam tão bem o papel de homem que eu fiquei impressionado. Nunca imaginei que pudesse ser tão bravos. Eles, antes, tropeçavam em gravetinhos, mas, na morte, escalaram montanhas. Foram as pessoas mais fracas, tímidas e parecidas com pardal que você pode conhecer, e agora tomam para si asas como de águia, com as quais voam para longe.

Portanto, aconselho vocês a irem ao túmulo de seus queridos com cânticos de alegria. Fiquem lá e, se derramarem uma lágrima, deixem o sorriso de sua gratidão a Deus iluminá-la e transformá-la em uma pedra preciosa; depois vão para casa, cada um de vocês, e esperem com confiança até que chegue a vez da sua mudança. Quanto a mim, como frequentemente lhes relembro ao encerrar nossos alegres cultos de sábado na grande congregação do Tabernáculo, assim digo uma vez mais:

Tudo o que resta a mim
É só amar e cantar,
E esperar até que os anjos, assim,
Venham para ao Rei me levar[142].

---

142 Tradução livre de trecho do hino *Why should I sorrow more?*, que se trata de uma reescrita feita por Spurgeon do hino *My God, my Life, my All*, de William Williams (1717–1791). (N.T.)